주식회사 Survival swimming for Educational Research Institute

생존수영교육연구소

소중한 생명지킴이

생존

수영

생존수영교육연구소

소중한 생명지킴이

생존수영

박정호(생존수영교육연구소)

초등학생부터 교사, 현장지도자, 대한민국 국민의 생존수영 지도서

밥북
BABBOOK

2013년 7월 18일 해병대캠프에 참가한 공주사대부고 학생 5명이 파도에 휩쓸리면서 갯골에 빠져 사망하는 안타까운 사고가 발생하였다. 이 사고는 수상안전교육을 위한 행사가 아니라 해병대체험을 위한 교육의 일환이었고, 담당 교관은 학생들의 구명조끼를 벗기고 교육을 진행하는 등 수상안전예방 지식의 부재로 발생한 인재다.

군대체험과 같은 교육활동에서 비다라는 환경을 활용하기 위해 교관은 수온, 수심, 파도, 조류, 갯골 등과 같은 환경적 위험요소를 정확하게 파악하고, 안전사고 예방에 철저하게 대비해야 했으며, 교육당국은 관련 체험교육이 안전성과 적절성이 검증되어 있는지 확인했어야 했다.

이후 2015년 국민안전처는 '연안사고 예방에 관한 법률'을 제정하여 연안에서 실시하는 체험활동의 안전사고 예방을 위한 법적 제도를 마련하였다. 그러나 이는 관련 활동 사업자와 종사자만을 대상으로 하는 법률로서 그 한계가 있다.

2014년에 발생한 세월호 참사는 아직도 당시 상황이 생생하다. 우리나라 선박안전과 수난구조시스템의 한계를 여실히 보여준 대형 참사로서 많은 국민이 분노하고, 안타까워했다. 세월호 사고를 계기로 많은 국민은 수상안전사고 예방을 위한 법제도 마련을 국가에 요구했다. 실제 이러한 사고가 두 번 다시 발생하지 않게 하기 위해서는 여러 방면의 법제도 재정과 행정적 노력 등 국가적 노력이 필요하다.

수상안전사고 발생 시 두 번 다시는 속수무책으로 바라보고만 있는 이러한 참극이 없어야 한다고 느낀 교육부는 2015년 12월 30일 '학교 안전사고 예방에 관한 기본계획'을 마련하고, 모든 초등학생에 대한 생존수영 의무교육 확대와 모든 교직원이 심폐소생술 교육을 이수하도록 권고하였다. 이 중에서도 초등학교 3~6학년을 대상으로 2018년까지 바다나 강에서 안전사고가 발생했을 때 스스로 생명을 구할 수 있도록 생존수영 의무교육을 확대하도록 하였다. 드디어 수상안전사고 발생 시 교사와 학생이 소중한 생명을 지키기 위해 어떻게 움직이고, 대처해야 할지에 대한 교육적 노력이 시작된 것이다.

이렇듯 생존수영은 수상안전사고 예방을 위한 노력으로 안전사고 발생 시 인명사고 예방을 위해 사고 당사자가 대처할 수 있는 최소한의 수영기술을 의미한다.

무엇보다 수상안전사고가 발생하지 않아야 하지만 사고 시 이에 대처할 수 있는 수영능력을 교육제도 개선 등으로 향상하려는 교육부의 노력은 칭찬할 만하다. 다만 생존수영과 더불어 수상안전예방에 대한 지식을 우선 습득할 수 있도록 하고, 수상안전도구 사용 교육도 받을 수 있는 제도적 기반이 확보되어야 할 것이다. 나아가 중등학생, 대학생, 장애인 학생 등 생존수영 교육의 사각지대가 발생하지 않도록 이에 대한 방안도 더욱 개선해야 한다.

수상안전은 초등학생뿐만 아니라, 대한민국 국민 모두에게 중요하다. 그러므로 모든 국민이 자신의 생명을 지킬 수 있는 생존수영 지식과 수상안전 예방지식을 함양하도록 하는 국가적 노력이 필요하다.

저자는 1999년부터 대한적십자 수상안전법 강사로서 수상안전전문가, 즉 인명구조원을 양성하는 책임강사로 현재까지 활동하고 있다. 또 2015년 국민안전처에서 발령한 '연안사고 예방에 관한 법률'에 따라 실시한 연안체험활동 안전교육 강사로 활동하고 있다. 그리고 지역의 수상안전전문가로 활동하면서 안전사고 예방교육과 수상인명구조를 위해 노력하고 있으며, 실제 생존수영교육에도 참여하고 있다.

이러한 활동 가운데 일련의 사고와 생존수영 의무교육 등 제도적 개선을 가까이서 지켜보면서 몇 가지 문제점을 파악할 수 있었고, 효율적이면서 실제적인 생존수영교육을 본 책을 통하여 제언하고자 하였다.

아직까지 대한민국 대다수 국민과 생존수영을 의무적으로 배우는 학생들은 생존수영의 개념을 정확하게 이해하지 못해 수영장에 갔을 때 수영을 배우는지 생존수영을 배우는지 잘 모르는 경우가 많다.

이로 인해 정해진 수업시수에 정확한 생존수영기술을 배우지 못하는 경우도 발생한다. 즉 생존수영실습 전 이에 대한 사전지식이 부족한 것이다. 또한 초등학생 생존수영 의무교육이 교육부 매뉴얼에 따른 교사 주도 수업이 아닌 수영장에서 위탁교육으로 이루어지다 보니 해당 강사 개인의 역량으로 이루어지는 현실이다. 강사의 역량과 수상안전사고 지식수준이 낮을 경우 해병대캠프 사고처럼 안전사고가 발생할 여지가 있는 셈이다.

생존수영은 강, 담수, 하천, 바다, 즉 물이라는 환경적 위험요소와 선박, 레저, 사고, 수상교육 등의 상황적 위험요소 때문에 발생한 위급상황에서 벗어나기 위한 기술이다. 따라서 위험요소에 대한 이해가 필요하고, 이를 극복하기 위한 생존수영기술에 대한 지식함양이 필요하다.

이 책은 생존수영을 배우고자 하는 대한민국 국민과 생존수영 의무교육에 참여하는 초등학생, 교사, 생존수영 강사들이 참고할 수 있는 생존수영 사전 준비 내용과 실제 생존수영 기술 습득에 필요한 내용을 수록하여 현실적으로 생존수영기술을 함양하는 데 도움을 주고자 하였다.

실제 생존수영을 익히는 것은 생각보다 쉽지 않다. 또한 대부분의 사람은 기술을 어느 정도 습득해야 실제로 소중한 생명을 지킬 수 있을지 정확하게 이해하지 못한다.

이런 문제를 인식하여 이 책은 수준별로 생존수영 습득에 필요한 현실적 정보를 제시하고, 습득단계별 생존수영 수준을 독자들이 판단할 수 있도록 하였다. 책의 구성은 생존수영 습득 단계별로 필요한 내용을 순차적으로 제시했다.

또한 앞에서 제시한 생존수영 과제를 보다 쉽게 독자들이 이해할 수 있도록 정확한 생존수영 습득기술 내용과 TIP을 활용한 핵심 정리, Activity를 통해 실제 생존수영기술을 습득하는 데 필요한 콘텐츠를 제공하고자 하였다.

이 책이 생존수영 의무교육에 참여하는 초등학생과 이를 지도하는 교사, 현장에서 생존수영을 지도하는 강사, 생존수영의 사각지대에 있는 장애인과 노인, 나아가 대한민국 국민 모두가 생존수영을 익히는 데 도움을 줄 수 있기를 희망한다.

2017년 9월

박정호

CONTENTS

I

생존수영 준비하기

II

생존수영 실내교육

III

생존수영 초급 편

IV
생존수영 중급 편

V
생존수영 상급 편

I

생존수영 준비하기

생존수영의 이해

생존수영은 강, 담수, 하천, 바다, 즉 물이라는 환경적 위험요소와 선박, 레저, 사고, 수상교육 등의 상황적 위험요소 때문에 발생한 위급상황에서 벗어나기 위한 수영기술이다. 또한 생존수영은 수상에서 위급상황 발생 시 행동해야 하는 행동원칙을 포함하며, 생존하는 데 필요한 모든 도구를 활용할 수 있다. 생존수영의 최종목적은 물이라는 위험요소에서 최소한의 에너지를 사용하여 생존하는 것으로 구조자가 도착할 때까지 안전하게 생존하는 데 있다. 따라서 생존수영 영법습득에 앞서 위급상황 시 행동원칙을 숙지하고, 주변의 수상안전도구를 활용할 능력도 포함된다.

TIP 1

강, 담수, 하천, 바다, 즉 물이라는 환경적 위험요소 + 선박, 레저, 사고, 수상교육 등 상황적 위험요소 = 발생한 위급상황에서 벗어나기 위한 수영기술 – 생존수영

TIP 2

수상안전사고 위급상황 발생 시 행동원칙도 생존수영에 포함

TIP 3

위급상황 발생 시 수상안전도구 활용법도 생존수영에 포함

위급상황 시 행동원칙

안타까운 생명을 앗아간 세월호 사고는 바다라는 환경적 상황에서 대형 선박의 항해 중 일어난 사고이다. 뉴스와 매체를 통해 밝혀진 내용을 보면 신속하게 배의 외부로 대피하지 않고 실내에 대기하게 하면서 사고의 규모가 커진 것을 알 수 있다. 선장과 선박의 안전책임자는 위급상황 시 행동원칙에 따라 행동하지 않았고, 승객들 또한 위급 시 행동원칙을 숙지하지 못했다.

수상안전사고 유형에 따라 대처유형의 차이가 나타날 수 있지만, 기본적인 원칙은 첫째, 현장조사, 둘째, 사고신고(도움 요청), 셋째, 상황대처 및 도움이다.

위급상황이 발생했을 때 먼저 현장조사를 통해 어떠한 사고가 발생했는지를 적극적으로 파악하고, 피해 규모와 자신이 안전하게 탈출할 수 있는지, 탈출하는데 필요한 도구가 무엇인지, 도움 요청은 어떻게 할 것인지를 생각하고 판단한다.

다음으로 현장조사를 통해 숙지한 정보를 활용하여 신속히 도움 요청(안전사고책임자, 119, 122)을 한다. 도움 요청 시에는 신속하고 적절한 구조를 받을 수 있도록 현장조사를 통해 수집한 사고원인과 현장상황 등을 자세하게 안내하고, 구조원의 지시에 따른다.

상황대처 및 도움에서는 생존을 위한 탈출에 필요한 안전장비를 확인 후 착용하고, 필요 시 생존수영기술을 활용하여 안전 곳으로 탈출하며, 탈출 후에는 주변의 탈출을 돕는다.

현재 진행하는 생존수영교육은 세 번째 단계인 생존수영기술 습득을 통해 탈출하는 데 초점이 맞춰져 있으나 이에 앞서 현장조사와 도움 요청 단계의 내용과 위급상황 시 행동원칙을 반드시 숙지해야 한다.

TIP 1

위급상황 시 행동요령을 숙지한다.
첫째, 현장조사 / 둘째, 사고신고(도움 요청) / 셋째, 상황대처 및 도움

TIP 2

※ 현장조사: 어떠한 사고가 발생했는지에 대해 적극적으로 파악하고, 피해 규모와 자신이 안전하게 탈출할 수 있는지, 탈출하는 데 필요한 도구가 무엇인지, 도움 요청은 어떻게 할 것인지 생각하고 판단.

TIP 3

※ 사고신고(도움 요청): 신속히 도움 요청(안전사고책임자, 119, 122)을 한다. 도움 요청 시에는 신속하고 적절한 구조를 받을 수 있도록 사고원인과 현장상황 등을 자세하게 안내하고, 구조원의 지시에 따른다. 사진 1-9. 사고신고 관련 사진첨부

● TIP 4

※ 상황대처 및 도움: 생존을 위해 탈출에 필요한 안전장비를 확인 후 착용, 필요 시 생존수영기술을 활용하여 안전 곳으로 탈출, 탈출 후 주변의 탈출을 돕는다.

Activity 1. 위급상황 발생 시 행동원칙을 꼭 기억해!

- 현장조사
- 사고신고(도움 요청)
- 상황대처 및 도움
- 생존수영은 위 원칙을 포함
- 우리가 배워야 할 생존수영기술은 세 번째에 해당한다

3

생존수영의 필요성

한국 어린이의 익사 사고 사망률은 어린이 10만 명당 3.1명으로 OECD 국가 중 높은 현실이다. 이에 의무적으로 실시하는 생존수영 실기교육 프로그램은 연 12시간의 수영장교육으로 구성되었으나, 실제로 필요한 내용을 교육하기엔 부족한 시간이다. 또한 생존수영교육에 대한 이해가 이루어지지 않은 상황에서 교육의 효과를 높이는 방법으로 교사들은 사전교육의 필요성을 제기하고 있다(추미경, 김인형, 2016).

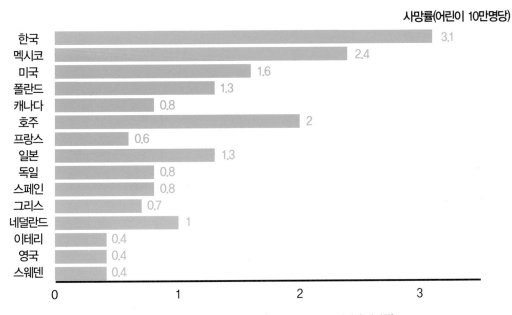

어린이 익사사고 사망률 국제 비교(OECD 국가별 10만명당 사망률)

어린이 익사 사망률이 가장 낮은 영국의 경우 생존수영교육이 크게 두 트랙으로 영법 교육과, 수상안전교육으로 나뉘어 있다. 수상안전교육은 '자신의 체력과 체온을 보존하는 방법' 등 수중에서 위험한 상황에 처했을 경우를 대비한 생존 방법을 가르친다. 또한 자신의 생존성을 확보하는 생존(Survivor)교육과 타인의 목숨을 살리는 구조(Rescue)교육으로 구분되며, 각각의 교육에서 학생의 수행 수준을 구분하는 일정 기준을 제시하고, 매 수업시간 학생 개개인의 수준을 고려하여 그에 알맞은 교육을 하고 있다. 정규 체육수업의 수영수업 외에도 방과후 활동인 Swimming club을 통해 정규 체육수업보다 좀 더 구조화된 체제를 갖추고 추가적인 수영수업을 제공하고 있다.

독일의 경우 수영을 교육의 차원이라기보다 생활 일부분으로 간주하고 있으며, 수영을 평생 활동으로 인식하며 생활화하고 있다. 독일의 수영수업은 인명구조자격 과정과 수영자격 인증 과정이 있으며, 학교에서는 이 두 과정이 혼합된 형태의 수영수업이 진행되고 있다. 특히 인명구조 과정은 청소년 수영 자격증을 4단계로 나누어 인증제를 시행하고 있다.

스웨덴은 어린이 10만 명당 익사율이 세계에서 가장 낮다. 스웨덴의 생존수영은 수난사고 상황에서 스스로 탈출하여 생명을 지키는 데 필요한 수영능력을 목표로 생존수영교육을 진행하고 있고, 심지어 옷을 입은 채 일정 거리를 수영하는 능력을 테스트한다.

선진국의 수영교육 사례(김지현, 이근모, 2016)

우리나라에서는 세월호 참사 이후 두 번 다시는 안전사고로 인한 참극을 속수무책으로 바라보고만 있을 수 없다고 느낀 교육부는 2015년 12월 30일 학교 안전사고 예방에 관한 기본계

획을 통해 모든 초등생에 대한 생존수영 교육확대, 모든 교직원의 심폐소생술 교육을 이수하도록 권고하였다. 초등학교 3~6학년을 대상으로는 2018년까지 바다나 강에서 안전사고가 발생했을 때 스스로 생명을 구할 수 있도록 수영수업을 확대할 예정이다.

생존수영수업은 기존의 영법습득 형식에서 크게 벗어나 실제 물에 뜨고 나아가는 것을 배우는 생존을 위한 수영 교육을 한다. 그러나 현재 실시되고 있는 생존수영교육이 학생 개개인 수영실력 증진으로 연결되기는 역부족이다. 이와 관련해 언론에 보도된 기사를 소개한다.

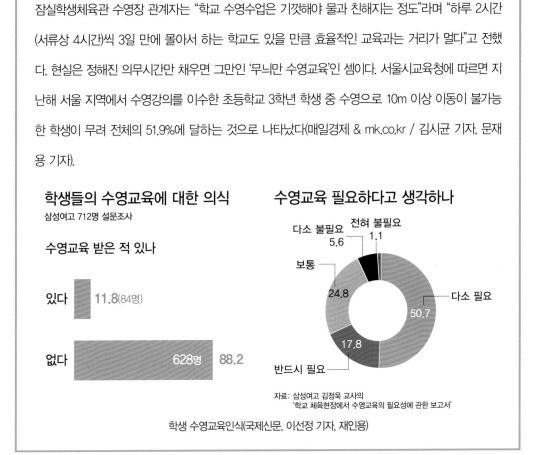

잠실학생체육관 수영장 관계자는 "학교 수영수업은 기껏해야 물과 친해지는 정도"라며 "하루 2시간(서류상 4시간)씩 3일 만에 몰아서 하는 학교도 있을 만큼 효율적인 교육과는 거리가 멀다"고 전했다. 현실은 정해진 의무시간만 채우면 그만인 '무늬만 수영교육'인 셈이다. 서울시교육청에 따르면 지난해 서울 지역에서 수영강의를 이수한 초등학교 3학년 학생 중 수영으로 10m 이상 이동이 불가능한 학생이 무려 전체의 51.9%에 달하는 것으로 나타났다(매일경제 & mk.co.kr / 김시균 기자, 문재용 기자).

학생들의 수영교육에 대한 의식
삼성여고 712명 설문조사

수영교육 받은 적 있나

있다 11.8(84명)

없다 628명 88.2

수영교육 필요하다고 생각하나

다소 불필요 5.6
전혀 불필요 1.1
보통 24.8
다소 필요 50.7
반드시 필요 17.8

자료: 삼성여고 김정욱 교사의
'학교 체육현장에서 수영교육의 필요성에 관한 보고서'

학생 수영교육인식(국제신문, 이선정 기자, 재인용)

국내 수영교육에서 다뤄지는 내용은 대부분 영법 위주의 교육, 혹은 영법 기록 및 자세로 평가되는 경우가 대부분이었다. 세월호 사고 이후 교육부에서는 생존수영의 정규교육 편성과 수상안전사고 시 스스로 생명을 구할 수 있는 생존수영교육을 확대하였으나 짧은 기간 교육을 하다 보니 많은 학생이 교육내용을 소화하지 못하고 맛보기 식으로 시수만 채우고 끝나는 실정이다(김지현, 이근모, 2016).

이로 인해 생존수영이 생명 지킴이로서 역할보다는 수행평가를 위한 사교육으로 이어지는 경우가 많았다. 이제는 우리도 영법 위주의 교육과 함께 안전수영 위주의 교육을 지향해야 한다. 즉, 영국, 독일, 스웨덴 등과 같이 수영교육의 목적을 생존을 위한 수중활동 개념으로 접근하는 노력이 필요하다. 또한 공교육 과정 최종 단계에서 수영교육은 생존수영, 인명구조로 구성하고, 이에 더하여 영법 또한 평가할 수 있는 체계로 개선되어야 한다.

또한 초등학생들의 생존수영교육과 더불어 일반 시민도 참여할 수 있는 생존수영교육 기회 제공이 필요하며, 대한민국 국민 전체가 수상사고에서 소중한 생명을 지킬 수 있도록 제도적 기틀을 마련하는 것이 반드시 필요하다.

4

생존수영의 실현 가능한 목표

생존수영의 필요성을 인식하고, 생존수영을 이해함으로써 생존수영 실기교육의 효과를 극대화 한다. 또한 수상안전사고라는 위기상황 속에서 위급 시 행동원칙에 따라 행동하며, 자신의 생존수영 기술수준에 따라 소중한 생명을 지킬 수 있는 능력을 함양한다.

이에 바탕한 생존수영기술은 일반적으로 초급, 중급, 상급과정으로 분류된다. 그러나 상급기술을 습득하고 있다고 해서, 위급상황관리가 적절하지 않다면 생명을 유지하기 어려울 수도 있고 초급기술이라도 배운대로 정확하게 지킬 수 있다면 소중한 생명을 지킬 확률은 높아진다. 따라서 생존수영의 실현 가능한 목표는 수난사고로 인한 위급상황 시 소중한 생명을 지키기 위한 지식을 배우려는 동기 형성과 함께 자신의 수영능력에 맞는 생존수영기술을 정확하게 익히는 것이다.

생존수영의 실현 가능한 목표

- 수난사고로 인한 위급상황 시 소중한 생명을 지키기 위한 지식을 배우려는 관심과 함께 자신의 체력수준과 수영능력에 맞는 생존수영기술을 정확하게 익히는 것.

5

생존수영실습을 위한 준비

1. 자신의 건강 확인하기

생존수영교육 참여자가 처음으로 확인해야 하는 것은 바로 자신의 건강상태이다. 참여자는 자신의 현재 질병 상태를 확인하여 지도강사 및 교사에게 전달해야 하며, 지도강사는 교육 전 교육생의 질병 상황을 숙지하고 있어야 한다. 이와 더불어 상황에 따른 건강상태 확인이 필요하다. 즉 평소 질병 없이 건강한 상태를 유지하더라도 교육 시작 전 몸의 상처, 신체적 컨디션 확인이 반드시 필요하다. 몸의 상처는 생존수영교육 중 감염으로 인한 건강악화를 유발할 수 있으며, 감기와 같은 질병을 더욱 악화시킬 수 있다. 무엇보다 소중한 생명을 지키기 위한 교육인 만큼 교육을 통한 질병 악화가 발생하지 않도록 신중해야 한다.

2. 자신의 체력 확인하기

생존수영 참여자는 자신의 건강상태와 더불어 체력적 상황을 확인해야 한다. 생존수영 교육장은 실내와 실외로 구분되며, 대부분 수영장에서 교육이 이루어진다. 수영장은 물의 수온과 저항에 의하여 체력소모가 크고 실제 저학년과 마른 체격 교육생의 경우 추위를 호소하는 경우가 많다. 따라서 자신의 신체적 특성과 체력수준을 확인하고, 이로 인한 신체적 어려움은 지도강사와 교사에게 반드시 전달해야 한다.

3. 자신의 수영능력 확인하기

수영능력이 있는 교육생은 생존수영을 습득하는 데 실제 도움이 된다. 우선 물에 대한 두려움이 적고, 물에 대한 특성과 부력에 대하여 이해하고 있으며, 물에서 호흡이 가능하기 때문이다.

생존수영은 실제 위급상황에 대처해야 하는 수영기술로서 수영능력 외에 습득해야 하는 지식이 많다. 수영상급자와 초급자가 함께 익혀야 하는 기술도 있지만 중급 이상의 생존수영기술을 익혀야 할 때는 수준별로 교육이 이루어지는 것이 보다 효율적이다.

4. 생존수영을 위한 개인도구 및 실습도구 확인하기

생존수영은 물이라는 환경적인 위험요소에서 위험 상황에 따라 생존하기 위한 기술이다. 따라서 교육수준에 따라 실습해야 하는 도구에 대한 이해가 필요하다. 또한 수영장에서 교육받는 데 필요한 개인도구를 갖추어야 한다.

(1) 생존수영을 위한 개인도구

수영복, 수경, 수모, 개인 세면도구

수경

수영복

수모

(2) 생존수영 실습도구

구명조끼, 구명정, 구조보트, , 레스큐캔, 라이프라인, 링브이

구명조끼(구조용)

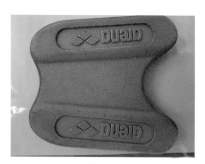

킥보드

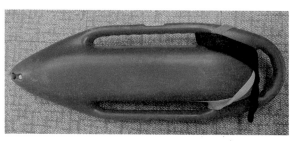

레스큐캔

구조줄

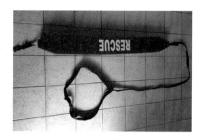

레스큐튜브

5. 생존수영교육 중 안전사고 발생 시 행동요령 습득하기

생존수영은 물이라는 위험상황에서 교육을 하므로 다양한 위험에 노출되어 있다. 우선 신체적 이상이 발생했을 때와 신체적 상해가 발생했을 때를 구분하여 대처하는 행동요령을 습득해야 사전에 안전사고를 예방 할 수 있다.

(1) 신체적 이상이 발생했을 때

가. 주위의 동료에게 몸의 이상을 밝히고, 도움을 요청한다.

나. 지도강사와 교사에게 몸에 이상이 발생했음을 신속하게 전달하고, 응급상황에 대해 정확하게 전달한다.

다. 각 수영장은 안전사고 발생 시 응급처치를 할 수 있는 시설과 장비를 갖추고 있으므로 수영장에 배치된 안전요원의 지시에 따라 행동한다.

라. 각 수영장의 안전사고 매뉴얼에 따라 휴식을 취하거나 병원으로 이동한다.

(2) 신체적 상해가 발생했을 때

가. 신속하게 주위 동료와 지도강사, 교사에게 상해 사실과 상해 원인을 전달하고 도움을 요청한다.

나. 지도강사와 교사 수영장 안전요원의 지시에 따라 신속하게 응급처치를 실행하며, 수영장 시설의 안전사고 매뉴얼과 필요 시 119의 도움을 받아 병원으로 신속하게 이동한다.

6

생존수영실습에서 발생할 수 있는 안전사고

1. 물에 대한 두려움으로 인한 안전사고

① 생존수영기술 습득 전에 수영초급자는 물에 대한 두려움 때문에 입수하는 것조차 어려워할 수 있다. 이로 인해 과호흡증후군 등 수상안전사고가 발생할 수 있다.

② 생존수영기술 습득 중 초급자의 경우 호흡의 미숙으로 물이 기도로 넘어갈 수 있으며, 이로 인해 호흡곤란으로 이어져 심각한 안전사고로 이어질 수 있다.

2. 익사사고

생존수영은 실제 위험상황을 대비하는 교육으로서 위험상황에 노출될 소지가 있다. 수상안전을 위한 교육에서 익사사고는 반드시 일어나지 않아야 하며, 지도강사와 교사는 반드시 안전사고 예방에 만전을 기해야 한다.

3. 넘어짐

생존수영교육에서 가장 많이 발생하는 안전사고가 수영장 바닥의 물기로 인한 넘어짐이다. 초등학생의 경우 수영장에서 뛰면서 이동하는 경우가 많아 넘어짐 안전사고가 특히 빈번하다. 넘어짐으로 일어나는 안전사고는 가볍게는 찰과상, 염좌가 발생할 수 있고, 머리가 수영장 바닥에 부딪치게 될 경우 심각한 상해가 발생할 수 있다.

최근에 수영장 바닥에 미끄럼방지 타일을 사용하는 경우가 많으나, 이는 실제 많은 도움을 주지 못하므로 교육생들은 지도강사와 교사의 지시에 따라 반드시 바닥 상황을 확인하고, 걸어서 이동하도록 주의해야 한다.

4. 수영장시설로 인한 부상

수영장에는 물기가 많은 탈의실, 샤워장이 있고, 단단한 수영장 바닥과 코스레인, 강화유리문, 코스레인 연결고리, 날카로운 풀 사이드 등 위험요소가 있다. 수영장 탈의실에는 교육생들이 흘린 물기가 많으며, 이를 밟아 넘어짐 안전사고가 발생한다. 샤워장은 특성상 미끄러운 물기가 많고, 샤워거품 등으로 인해 넘어짐 사고가 빈번히 발생할 수 있다. 따라서 샤워장에서는 반드시 물기를 제거 후 탈의실로 이동해야 하며, 뛰지 말고 지도강사와 교사의 지시에 따라 걸어서 안전하게 이동해야 한다. 또한 샤워장과 수영장을 이어주는 강화유리문의 테두리는 날카로운 철제로 되어있는 경우가 대부분이다. 날카로운 문 모서리에 발등과 뒤꿈치 등 신체 부위가 접촉하면 심각한 출혈을 동반한 안전사고를 유발할 수 있으므로 주의해야 한다.

수영장에는 코스레인과 이를 연결하는 고리가 존재한다. 생존수영교육 중 피부는 물에 의해 약해져 있으므로 가벼운 마찰로도 상처가 발생할 수 있다. 그리고 코스레인 연결고리는 강한 철재로 되어있어 걸을 때 부딪치지 않도록 주의해야 한다.

풀 사이드는 일반적으로 타일로 되어 있다. 타일은 물에 의해 마모되어 날카롭게 변형될 경우 위험해질 수 있는데 이에 발과 같은 신체 부위가 접촉될 시 상처가 발생할 수 있다. 교육장

안전요원과 지도강사는 이러한 안전사고가 발생하지 않도록 사전에 시설확인에 만전을 기해야한다.

담당교사와 담당강사는 수영장 시설의 위험요소에 대하여 세심하게 인지하고, 실습 전 교육생들에게 반드시 사전 안전교육을 실시해야 한다.

5. 생존수영 교육장비로 인한 부상

생존수영 교육장비는 라이프재킷(구명조끼), 레스큐튜브, 링브이, 레스큐 캔, 라이프 라인 등이 있다. 구명조끼는 레저용과 구조용이 별도로 구성되어 있고, 착용방법을 정확하게 알지 못하면 구조용 재킷의 목줄이 목을 조를 수 있고, 재킷 일부가 신체와 마찰하여 상해가 발생할 수 있어 주의해야 한다. 레스큐튜브는 위급상황 시 물 위에 떠 있을 수 있는 안전장비로서 끝부분에 철재로 되어있어 주의해야 한다. 링브이와 레스큐 캔은 플라스틱으로 되어있어 머리에 맞으면 위급한 안전사고가 발생할 수 있으니 사용법을 정확하게 숙지해야 한다. 라이프 라인은 여러 명의 익수자가 발생했을 때 사용하는 생존수영 장비로서 라이프라인이 목에 감기거나 신체 부위가 감겨 위급한 안전사고가 발생할 수 있으므로 주의해야 한다.

6. 생존수영교육 중 부주의

초등학생의 경우 생존수영교육 중 친구와 장난을 치거나 지도강사 및 교사 지시를 불이행하여 다양한 안전사고가 발생한다. 교육 중에는 지도강사와 교사의 말에 집중하여 경청해야 하며, 특히 자신의 미숙한 행동으로 주변의 사람들이 상해를 입지 않도록 주의해야 한다.

TIP 생존수영실습을 위한 준비

▶ 자신의 건강 확인하기

– 자신이 현재 앓는 질병 상태를 확인

– 지도강사 및 교사에게 전달

– 지도강사는 교육 전 교육생의 질병 상황을 숙지

– 평소 질병 없이 건강한 상태를 유지하더라도 교육 시작 전 몸의 상처, 신체적 컨디션 확인 필요

– 소중한 생명을 지키기 위한 교육인 만큼 교육을 통한 질병악화가 발생하지 않도록 신중해야 함

▶ 자신의 체력 확인하기

– 생존수영에 참여자는 자신의 체력적 상황을 확인

– 수영장은 물의 수온과 저항에 의하여 체력소모가 크다.

– 실제 저학년과 마른 체격의 교육생의 경우 추위를 호소

– 자신의 신체적 특성과 체력수준을 확인

– 신체적, 체력적 어려움은 지도강사와 교사에게 반드시 전달

▶ 자신의 수영능력 확인하기

– 수영능력이 있는 사람은 물에 대한 두려움이 적고, 물에 대한 특성과 부력 이해 용이

– 생존수영은 실제 위급상황에서 대처해야 하는 수영기술

– 수영상급자와 초급자가 함께 생존수영기술을 익혀야 할 때는 수준별로 교육이 이루어지는 것이 보다 효율적

▶ 생존수영을 위한 개인 도구 및 실습도구 확인하기

– 생존수영을 위한 개인 도구

　수영복, 수경, 수모, 개인 세면도구

– 생존수영 실습도구

　구명조끼(레저용, 구조용), 킥보드, 구명정, 구조보트, 레스큐튜브, 레스큐캔, 라이프라인, 링브이

▶ 생존수영교육 중 안전사고 발생 시 행동요령 습득하기

– 신체기능 이상이 발생(근육경련, 몸 떨림, 추위 등)

　　가. 주위 동료에게 몸의 이상을 밝히고, 도움 요청

　　나. 지도강사와 교사에게 신속하게 도움 요청

　　다. 수영장에 배치된 안전요원 지시에 따라 행동한다.

　　라. 수영장의 안전사고 매뉴얼에 따라 휴식을 취하거나 병원으로 이동

– 신체적 상해가 발생했을 때(상처, 염좌, 골절, 호흡곤란 등)

　　가. 신속하게 동료와 지도강사, 교사에게 상해 사실과 상해 원인을 전달하고 도움 요청

　　나. 지도강사와 교사 수영장 안전요원의 지시에 따라 신속하게 응급처치를 실행

　　다. 수영장시설 안전사고 매뉴얼과 119의 도움을 받아 병원으로 신속하게 이동

TIP 생존수영실습에서 발생할 수 있는 안전사고

● 생존수영에서 발생할 수 있는 안전사고 유형을 숙지하여 자신의 안전을 지킨다.

● 물에 대한 두려움으로 인한 안전사고

– 생존수영교육 전에 수영초급자는 물에 대한 두려움 때문에 호흡곤란 및 과호흡증후군 등이 발생

– 생존수영교육 중 초급자의 경우 물이 기도로 넘어갈 수 있으며, 이로 인해 호흡곤란으로 이어져 심각한 안전사고로 이어질 수 있음

– 지도강사와 교사는 이러한 위험요소를 인지하고, 교육을 구성해야 함

▶ 익사사고

– 생존수영은 실제 위험상황을 대비하는 교육

– 일반적인 수영교육과 비교하여 위험상황에 노출

– 수상안전을 위한 교육에서 익사사고는 반드시 일어나지 않아야 함

– 지도강사와 교사는 반드시 안전사고 예방에 만전

▶ 넘어짐

– 생존수영교육에서 가장 많이 발생하는 안전사고

– 수영장 바닥 물기로 인하여 발생

– 초등학생의 경우 수영장에서 뛰어서 이동하는 경우가 많아 넘어짐

– 넘어짐으로 일어나는 안전사고는 가볍게는 찰과상, 염좌가 발생

– 머리가 수영장 바닥에 부딪히면 심각한 상해가 발생

– 교육생들은 지도강사와 교사의 지시에 반드시 따라야 함

– 바닥 상황을 확인하고, 걸어서 이동하도록 주의

▶ 수영장시설로 인한 부상

– 수영장에는 물기가 많은 탈의실, 샤워장이 있다.

– 단단한 수영장 바닥과 코스레인, 강화유리문, 코스레인 연결고리, 날카로운 풀 사이드 등 위험요소가 존재

– 탈의실에는 교육생들이 흘린 물을 밟아 넘어짐 안전사고가 발생

– 샤워장은 미끄러운 물기가 많고, 샤워거품 등으로 인해 넘어짐 사고 발생

– 샤워장과 수영장을 이어주는 강화유리문의 날카로운 문 모서리에 발등과 뒤꿈치 등 신체 부위가 접촉될 시 심각한 출혈을 동반한 안전사고 유발

– 코스레인 연결고리는 강한 철재로 되어 있어 부딪지 않도록 주의

– 풀 사이드 타일은 물에 마모되어 위험해질 수 있음

– 교육장 안전요원과 지도강사는 안전사고가 발생하지 않도록 사전에 시설확인에 만전

– 담당교사와 담당강사는 수영장 시설의 위험요소에 대하여 세심하게 인지하고, 실습 전 교육생들에게 반드시 사전 안전교육을 실시

▶ 생존수영 교육장비로 인한 부상

– 구명조끼는 레저용과 구조용이 별도로 구성

– 구조용 재킷을 정확하게 착용하지 않으면 목줄이 목을 조를 수 있다.

– 재킷 일부가 신체와 마찰하여 상해가 발생

– 레스큐튜브는 끝부분에 철재로 되어 있어 교육 시 주의

– 링브이와 레스큐 캔은 플라스틱으로 되어 있어 머리에 맞으면 위급한 안전사고가 발생, 사용법에 대하여 정확하게 숙지

– 라이프 라인은 목에 감기거나 신체 부위가 감겨 위급한 안전사고가 발생할 수 있으므로 주의

▶ 생존수영교육 중 부주의

– 초등학생의 경우 생존수영교육 중 친구와 장난을 치거나 지도강사 및 교사 지시를 불이행

– 다양한 안전사고가 발생

– 교육 중에는 지도강사와 교사의 말에 집중하여 경청

– 미숙한 행동으로 주변의 사람들이 상해를 입지 않도록 주의

II

생존수영 실내교육

구성내용

1. 생존수영교육 이것만은 알고 가자!
2. 생존수영실습 전 장비 착용 교육
3. 생존수영 호흡법

생존수영교육 이것만은 알고 가자!

생존수영교육에 참가하기 전 안전사고 예방과 생존수영실습 효율성 제고를 위해 반드시 실내교육이 선행되어야 한다. 실내교육에서는 생존수영에 대한 이해를 기반으로 생존수영의 필요성을 교육하여 생존수영 참여 동기를 향상시키고, 생존수영교육 전반을 가르친다. 나아가 이를 통해 발생할 수 있는 안전사고 유형을 안내하고 예방할 수 있도록 해야 한다. 또한 생존수영실습에 필요한 이론적 지식을 알려주는 실내교육은 반복학습의 효과를 기대할 수 있고, 생존수영교육 목표를 달성하는데 도움을 줄 수 있다.

1. 수영장 이용수칙과 안전수칙에 관한 교육

생존수영은 대부분 수영장에서 실시하므로 먼저 수영장 이용수칙과 안전수칙을 교육 참여자가 능숙하게 숙지할 수 있도록 교육한다. 실제 교육현장에서 인솔교사조차 수영장 이용수칙과 안전수칙을 정확하게 숙지하지 못하는 경우가 간혹 있다. 또한 수영장 환경에 따라 안전수칙이 상이할 수 있으므로 교육 참가 전 반드시 확인하여야 한다. 또한 대부분의 수영장은 공공시설로 규정되어 많은 시민이 함께 이용하는 경우가 많으므로 초등학생의 경우 불필요한 소음과 장난, 수영장 이용수칙 위반으로 타인에게 피해를 주는 일이 없도록 해야 한다. 또 이용수칙을 지키지 않으면 불필요한 부상이 발생하여 생존수영실습에 차질을 줄 수 있으므로 지도

교사는 생존수영실습 전 수영장 이용에 관한 교육을 실시하는 것이 바람직하다. 이용수칙과 안전수칙은 해당 수영장 홈페이지에서 확인이 가능하다.

TIP 수영장 이용수칙과 안전수칙을 숙지한다.

▶ 수영장 이용수칙 및 안전수칙

① 수영하기 전 반드시 샤워장에서 샤워한 후 수영장에 입장하여야 합니다.

② 풀에 들어가기 전 반드시 준비운동을 하여야 합니다.

③ 수영하기 전 반드시 수영모를 착용하여야 합니다.

④ 눈병, 피부병 등 전염성 질병이 있는 분들은 수영장을 이용할 수 없습니다.

⑤ 수영장 풀 안에서 침을 뱉거나 코를 풀거나 방뇨를 하지 마십시오.

⑥ 평소에 몸이 아프거나 컨디션이 안 좋을 때는 수영을 삼갑니다.

⑦ 음주 후에는 절대로 들어갈 수 없습니다.

⑧ 수영 중 몸이 떨리고 소름이 끼치며 추워질 때 및 눈이 충혈 시에는 즉시 수영을 중지하여야 합니다.

⑨ 체력 관리상 1시간 이상 수영을 하지 말아야 합니다(50분 수영, 10분 휴식).

⑩ 수영장에서는 고무 튜브, 스노클 등과 같은 장비를 사용하여서는 안 됩니다.

⑪ 귀중품은 착용을 금하며, 분실책임은 이용자에게 있습니다.

⑫ 수영장에서 뛰거나 다이빙을 하지 마십시오.

⑬ 수영 중 앞사람을 추월하는 행동은 안전사고를 유발할 수 있으니 삼가시기 바랍니다.

⑭ 수영장 내에서는 안전을 위하여 지도 강사의 통제에 따라야 하며 이를 어길 시에는 퇴장 혹은 경고 조치를 취할 수 있습니다.

⑮ 배정된 강습 레인을 준수하여야 합니다.

⑯ 본 수영장은 강습시간 중 메인 풀 자유 수영이 허용되지 않습니다.

⑰ 사용한 수영용품은 제자리에 둡니다.

⑱ 수영 후 반드시 눈과 몸을 깨끗이 씻어야 합니다.

⑲ 본인의 부주의로 인한 사고는 스스로 책임져야 합니다.

▶수영장 준비운동 순서

건강 스트레칭

목 운동

엄지손가락을 턱에 대고 위로 천천히 민다.

머리에 손을 얹은 후 옆으로 천천히 당긴다.

원을 그리면서 목을 천천히 돌린다.

목을 당긴다.

고개를 뒤로 젖힌 상태에서 좌우로 돌린다.

어깨 운동

천천히 원을 그리며 어깨 관절을 돌린다.

팔을 몸 쪽으로 천천히 당긴다.

두 팔을 머리 뒤로 하여 한 쪽 팔꿈치를 잡고 아래로 누른다.

등 뒤로 두 손을 맞잡아 위로 올리고 고개를 뒤로 젖힌다.

견갑골을 모으고 벌리기를 반복한다.

팔목 운동

손가락을 깍지 끼고 손과 손목을 돌린다.

다섯 손가락을 쫙 폈다 구부렸다를 반복한다.

한 쪽 손을 뒤로 아래로 번갈아 젖히며 몸 쪽으로 천천히 당긴다.

손바닥을 맞붙이고 팔꿈치는 같은 높이로 하여 손을 아래로 내려준다.

반대로 손을 위로 향하게 하여 5초 이상 유지하고 부드럽게 옆으로 밀어낸다.

허리 운동

양손을 깍지 끼고 머리 위로 천천히 뻗는다.

등 뒤로 깍지 끼고 팔을 위로 올린다.

다리를 꼬고 앉아 허리를 비튼다.

양손을 깍지 껴서 머리 위로 올리고 허리를 좌우로 굽힌다.

깍지 낀 두 손의 손바닥을 앞으로 쭉 내밀며 머리를 숙이고 무릎은 굽힌다.

출처 : 고용노동부 안전보건공단

🔺 국립안동대학교 종합스포츠센터

38

2. 수영장 시설에 대한 교육

수영장 시설은 크게 로비, 탈의실, 샤워장, 수영장 입구, 수영장 바닥, 수영장 메인 풀, 안전실, 응급처치실 등으로 구분된다. 로비를 기준으로 탈의실, 샤워장, 수영장 입구는 각 강화유리문으로 구분되어 있으며 수영장 메인 풀 주변 벽은 딱딱한 타일로 되어있고, 바닥은 미끄럼방지 타일로 되어 있다.

먼저 수영장 로비에서 교육생들이 집결하여 수영장 탈의실로 입장하게 되며, 이후 탈의실과 샤워장을 통해 수영장으로 입장한다. 수영운동 경험이 없는 교육생들을 위해 생존수영교육 전 시설이용에 관한 선행 학습을 하는 것이 바람직하다.

TIP 수영장 이용시설을 숙지한다.

3. 탈의실 사용

탈의실은 옷을 갈아입기 위한 곳이다. 간혹 탈의 후 탈의실에서 수영복을 미리 착용하는 것을 볼 수 있는데 이는 수영장 이용수칙에 어긋난다. 우리 몸에는 지방질과 기타 세균에 노출되어 있을 수 있기에 탈의실에서는 옷만 탈의하고, 생존수영 용품과 세면도구를 들고 샤워장으로 이동하도록 한다. 또한 탈의실에서 정숙하도록 하고, 초등학생의 경우 장난으로 타인에게 피해가 가지 않도록 한다.

TIP 수영장 이용시설을 숙지한다.

탈의실에서 수영복을 미리 착용하지 않는다.
탈의실에서는 옷만 탈의하고, 생존수영 용품과 세면도구를 들고 샤워장 이동
탈의실에서 정숙, 초등학생의 경우 장난으로 타인에게 피해가 가지 않도록 주의

4. 샤워장 이용

반드시 수영복을 착용하지 않은 상태에서 세면도구를 활용하여 깨끗하게 씻는다. 수영장 메인 풀은 수질관리를 위해 여러 단계의 여과과정을 거치게 된다.

메인 풀에 가장 번식하기 쉬운 균은 대상균으로 사람의 각질은 이를 더욱 번식시킨다. 따라서 수영복 착용과 수영장 입장 전 몸 씻기는 위생과 수질관리를 위해 매우 중요한 과정이다. 간혹 수영복을 입고 몸을 씻는 경우가 있으나 이는 바람직하지 않다. 이후 수영모자와 수경을 착용하고, 수영장으로 입장한다.

TIP 수영장 이용시설을 숙지한다.

수영복을 착용하지 않은 상태에서 세면도구로 깨끗하게 씻는다.

수영복을 입고 씻지 않는다..

수영모자와 수경을 착용하고, 수영장으로 입장한다.

5. 수영장 메인 풀 사용

샤워 후 수영장에 입장하면 먼저 수영장 구조물을 확인한다. 수영장에서 빈번히 발생하는 안전사고가 사람과 사람의 충돌사고다. 특히 수영장 메인 풀과 샤워장은 보안의 특성상 가림막 또는 커튼, 강화유리문으로 구분되어 있다. 이 때문에 나가는 사람과 들어오는 사람이 이를 미리 인지하지 못하여 충돌사고가 간혹 발생한다. 따라서 샤워장에서 수영장으로 입장할 때는 나오는 사람과 충돌하지 않도록 유의해야 한다.

수영장 바닥은 미끄럼방지 타일이 대부분 적용되어 있으나 항상 물이 존재함으로 미끄러운 상태를 유지한다. 따라서 수영장 메인 풀 입장과 퇴장하여 샤워장으로 이동할 때는 절대로 뛰지 않는 것이 중요하다.

수영장 메인 풀 주변에 입장하여 수영장 메인 풀의 구조를 확인하면서 반드시 확인해야 하는 것이 바로 수영장의 수심이다. 일반적으로 모든 수영장은 수영장의 깊이(수심)를 공시하도록 되어있다. 수영장의 깊이를 알 수 없을 때는 해당 안전요원에게 수영장 수심을 확인하는 것이 바람직하다.

특히 지도교사는 사전에 이러한 사항을 반드시 확인해야 한다. 초등학생은 키가 작은데 자칫 학생들의 키보다 깊은 곳에서 교육이 이루어질 수 있기 때문이다. 또한 생존수영교육 전 준비운동과 지도강사의 사전교육이 진행되므로 수영장 사이드로 안전하게 이동하여 지도강사의 안내에 따른다.

TIP 수영장 이용시설을 숙지한다.

수영장에 입장하면 먼저 수영장 구조물을 확인

사람과의 충돌에 주의한다.

강화유리문 모서리 부분에 신체가 다치지 않도록 주의

수영장 바닥은 항상 물이 존재함으로 넘어짐에 주의하고, 절대로 뛰지 않도록 주의

수영장의 수심을 확인

지도교사는 사전에 수영장 규격과 수심을 확인한다.

수영장 사이드로 안전하게 이동하여 지도강사의 안내에 따른다.

6. 지도강사 확인 및 안내사항 경청

수영장에 입장하면 담당 지도강사가 배정된다. 자신의 지도강사를 확인하고 이동한다. 초등학생의 경우 지도교사와 함께 생존수영교육이 진행된다. 지도강사는 수영장 이용수칙과 안전수칙을 재차 안내하게 되고, 실내교육 통해 선행된 내용은 복습의 과정으로 안전사고를 예방에 도움을 줄 수 있다. 또한 지도강사는 정해진 시간에 진행할 교육내용을 안내하는데, 이때 집중하여 경청한다.

TIP 수영장 이용시설을 숙지한다.

수영장에 입장하면 담당 지도강사 배정

자신의 지도강사를 확인하고 이동

초등학생의 경우 지도교사와 함께 생존수영교육 진행

지도강사는 수영장 이용수칙과 안전수칙을 재차 안내

지도교사는 담당강사와 교육내용과 안전사고 예방을 위한 정보를 교환

지도강사와 지도교사의 지도에 집중하며 경청

2

생존수영실습 전 장비 착용 교육

생존수영교육은 물이라는 환경적 위험요인에서 위급상황이 발생했을 때 자신의 생명을 지키는 기술을 습득하는 교육이다. 따라서 수영능력에 관계없이 자신의 생명을 구하는 기술습득이 선행되며, 이후 상급의 수상안전장비 사용법과 맨몸 생존수영기술을 습득한다. 수난시고 발생 시 우리의 생명을 유지하고 타인의 생명을 구하기 위해 가장 현명한 선택을 해야 하며, 가장 중요한 것은 수상안전장비와 도구를 적절하게 활용하는 것이다. 따라서 수상안전장비에 대한 종류와 이용방법을 반드시 숙지해야 한다. 또한 상급 생존수영기술을 습득한 사람일수록 수상안전장비 활용에 더욱 능숙해야 한다. 한편 부득이 수상안전장비를 활용하지 못할 경우를 대비하여 맨몸 생존수영 능력을 함께 함양해야 한다.

– 수상안전장비와 구명조끼 사용법

현재 초등학생 생존수영교육에서 사용되는 수상안전장비는 교육상황에 따라 다르지만 레저용 구명조끼, 구명환 등을 활용하고 있다. 그러나 더욱 많은 종류의 수상안전장비에 대하여 인지할 필요가 있고, 실제 구명조끼 등의 장비 사용을 실습 전에 실내교육을 통해 교육하는 것이 바람직하다.

구명조끼는 수상안전사고 발생 시 개인의 부력확보, 즉 안전확보를 위해 반드시 착용해야 한다. 개인의 부력확보는 생존확보와 더불어 체온유지에 도움을 주며, 위기 상황에서 심리적 안정감을 형성할 수 있다. 또한 익수자의 개인 위치를 알리기 용이하고, 호루라기를 통해 도움 요청을 할 수 있으므로 구조자가 구조 확률을 높게 할 수 있다.

구명조끼는 크게 레저용 구명조끼와 구조용 구명조끼로 구분된다. 사용 용도에 따라 그 기능과 구성에 차이가 있다. 먼저 실내교육을 통해 구명조끼의 모양과 착용, 활용능력을 함양한다.

(1) 레저용 구명조끼

레저용 구명조끼는 수상레저 활동에서 비상상황 발생 시 안전을 확보하기 위해 착용한다. 레저활동에 앞서 수상레저 기구 운영자와 안전요원의 지시에 따라 반드시 착용해야 한다. 레저용 구명조끼는 구조용 구명조끼와 모양과 구성이 다름을 확인하고 착용법을 숙지한다.

(2) 구조용 구명조끼

구조용 구명조끼는 대형선박과 여객선, 비행기 등에 배치되어 수난사고 발생 시 개인의 부력확보와 생명유지를 위해 사용된다. 구조용 구명조끼는 용도에 따라 모양이 다르고, 레저용 구명조끼와 착용법에서 차이가 발생하므로 실내교육을 통해 착용법을 숙지한다.

Activity1. 레저용 구명조끼를 신속히 착용해보자

- 정확한 착용 여부와 착용시간을 체크해 본다.

Activity 2. 구조용 구명조끼를 신속히 착용해보자.

- 정확한 착용 여부와 착용시간을 체크해 본다.

3

생존수영 호흡법

생존수영교육에서 수영능력이 있는 사람은 기술습득이 쉽고, 실제 생존수영교육 효율성이 높은데 이는 물에 대한 적응력이 높고, 부력에 대한 이해와 물속에서 호흡능력이 가능하기 때문이다. 실제 수영 경험이 없거나 물에 대한 두려움이 있는 교육생의 특징은 물에 대한 적응력이 떨어지고, 물에서 호흡할 수 있는 능력이 부족하다.

물에서 호흡능력이 부족해도 구조장비를 활용한 교육을 할 수 있으나 물에 대한 두려움으로 몸이 경직되어 생존수영 습득에 어려움을 호소하는 경우가 많다. 따라서 생존수영에 앞서 물의 두려움을 없애고, 적응력을 높일 수 있는 가장 좋은 방법은 생존수영 호흡법을 익히는 것이다.

실제 생존수영기술을 습득하는 것은 쉽지 않은 과정이다. 그러나 호흡법을 익힌다면 보다 자연스럽게 물에 입수할 수 있으며, 머리를 포함한 신체가 물속에 깊숙이 들어가는 것에도 자연스럽게 대처할 수 있다.

따라서 이 장에서는 모든 수영초급자가 어려워하는 생존수영 호흡법 실습에 앞서 실내교육을 통해 그 방법을 습득하도록 하였다.

- 호흡의 원리 이해하기

우리는 평상시 숨 쉬고 있음을 인지하지 못 하는 경우가 많다. 즉 자연스러운 호흡으로 인하여 불편함이 없는 것이다. 이처럼 물속에서 호흡할 때에도 불편이 없도록 연습해야 한다. 호흡의 원리를 이해하기 위해 많은 사람들이 오해하는 사례를 TIP을 통해 소개한다.

TIP 1. 물에서 호흡을 배울 때 오해하는 것

첫째, 사람들은 물속에 들어가기 위해 잠수를 할 때 숨을 많이 들이마시는 과호흡을 한다.

※ 과호흡을 계속하면 숨을 오랫동안 참으려고 하고, 수압으로 인해 불편함을 느낀다. 또한 과호흡이 지속되면 공기가 폐 안에서 덜 나온 상태에서 계속 호흡하게 되어 과호흡증후군이 발생할 수 있다. 과호흡증후군이 발생하면 호흡곤란과 근육경련이 심해지면 의식을 잃게 된다.

※ 따라서 평소보다 좀 더 자연스럽게 입으로 공기를 들이마시고, 물에 들어가도록 한다.

둘째, 사람들은 물속에 들어갈 때 숨을 참고 무호흡 상태에서 들어간다.

※ 무호흡으로 물속에 들어가게 되면 일단 호흡의 흐름이 끊어지게 되어 자연스러운 호흡에 방해가 된다.
※ 일반적으로 코를 통해(음~~~ 소리 내면서) 공기를 내쉬게 되는데 무호흡 상태에서 내쉬는 것은 수압에 의해 어렵게 되며, 결국 공기를 충분히 뱉지 못한 상태에서 물 밖으로 나오게 된다.
※ 따라서 입을 통해 자연스럽게 공기를 들이마신 후 코로(음~~~~~ 소리) 공기를 뱉으면서 물속으로 들어가도록 한다.

셋째, 사람들은 물속에서 충분히 공기를 코를 통해 내쉬지 않고, 물 밖으로 나와 공기를 입으로 들이마시려고 한다.

※ 호흡의 원리에서 공기가 폐에서 충분히 나오지 않으면, 다시 들이마실 수 없다. 즉 공기를 충분히 뱉으면 들이마시는 것은 코나 입을 통해 자동적으로 들어가게 된다.

※ 일반적으로 물속에서 코를 통해(음~~~~ 소리 내면서) 공기를 내쉬게 되는데 물의 저항과 불편함, 두려움으로 인해 충분히 뱉지 못하면 폐에 공기가 많이 남게 되어 결국 물 밖에서도 남은 공기를 뱉고(푸악~~~~~) 다시 들이마시게 된다.

※ 결국 호흡 타이밍이 부자연스럽고 호흡이 어렵게 된다

※ 따라서 물속에서 코로(음~~~~~ 소리) 충분히 공기를 뱉고 난 후 물 밖에서 나와 입을 자연스럽게 벌리면 자동으로 공기가 입으로 들어가도록 한다.

TIP 2. 생존수영 호흡을 자연스럽게 하는 방법

첫째, 자연스럽게 입으로 공기를 들이마신다.

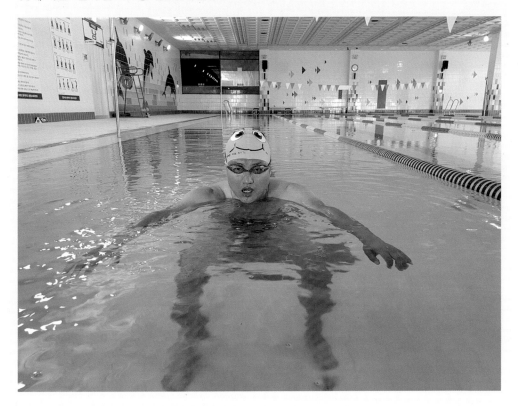

둘째, 공기를 소리만(음~~)이 아닌 폐에서 공기가 나가는 느낌으로(음~~~) 뱉으면서 물속에 들어간다.

셋째, 공기를 물속에서 충분히 내보내고, 자연스럽게 물 밖으로 나와 입을 벌린다(공기가 자동으로 입에 들어와야 정확하게 된 것).

넷째, 익숙해질 때까지 반복적으로 연습한다.

Activity 1. 생존수영 호흡을 지상에서 연습해 본다.

생존수영 실내교육을 통해 연습해 본다.

물속에서 한다고 이미지트레이닝을 하면서 연습한다.

생존수영 초급 편

구성내용

1. 생존수영 호흡법 익히기
2. 생존수영 물 적응하기
3. 생존수영 장비착용 실습하기
4. 생존수영 장비착용 후 뜨기와 이동하기

생존수영 호흡법 익히기

생존수영 실내교육을 통해 호흡법을 사전에 익혔다. 실제 생존수영을 배우면서 호흡법은 물에 대한 두려움을 낮추고 교육효율성 제고와 교육목표 달성에 큰 도움을 준다. 따라서 이 장에서는 생존수영 실내교육 호흡법을 기반으로 실제 호흡이 완성될 수 있도록 노력해 본다.

1. 얕은 물에서 호흡 연습하기

생존수영 초급자 및 호흡법이 미숙한 교육생은 물에 대한 두려움이 발생하지 않는 수심이 낮은 물에서 먼저 호흡법을 연습해야 하며, 익숙해진다면 수심이 깊은 곳에서 연습할 수 있도록 점진적으로 습득한다.

(1) 낮은 수심에서 호흡하기

충분히 준비운동을 하고, 지도강사의 지시에 따라 낮은 수심에 들어가 발이 풀 바닥에 닿는 것을 확인한다. 평정심을 지키고, 수영장 물에 적응할 수 있도록 가벼운 달리기와 걷기를 하면서 물에 적응한다. 이후 자연스럽게 물에 앉아서 호흡연습을 준비한다. 실내교육에서 연습한 것을 생각하며 강사의 지시에 따라 연습한다.

(2) 다음의 순서로 호흡법을 연습한다.

가. 자연스럽게 수면을 바라보고 앉는다.

나. 호흡을 자연스럽게 입으로 들이마신다.

다. 코로 폐의 공기가 밖으로 나온다는 생각으로 수면 아래로 앉으면서 (음~~~~~ 소리) 코
로 공기을 뱉으면서 수면으로 들어간다.

처음에는 물속 깊이 들어가지 말고 눈까지만 들어갈 수 있도록 연습한다.

라. 물속에서 폐의 공기가 충분히 밖으로 나오도록 내뱉고 물 밖으로 나와 입을 벌린다. 공기가 자연스럽게 자동으로 입으로 들어가는 것을 느낀다.

※ 입을 벌렸을 때 자연스럽게 공기와 함께 물이 입안으로 들어갈 수 있다.

마. 물속에서 폐의 공기가 충분히 밖으로 나오지 못하면 물속에서 답답함과 호흡곤란으로 인한 어려움을 느낄 수 있으므로 충분히 공기를 자연스럽게 내쉴 수 있도록 연습한다.

바. 충분히 물속에서 공기를 내쉬고 물 밖으로 나와 입을 벌리면 자연스럽게 공기가 입으로 들어가게 된다. 주의할 점은 인위적으로 공기를 많이 마시려 하지 않는 것이다.

사. 위 동작이 자연스럽고 어색하지 않을 때까지 반복해서 연습한다.

아. 얕은 물 제자리에서 충분히 연습이 되었다면, 앞으로 걸어가면서 위와 같은 동작을 연습한다. 킥보드를 활용하여 연습할 수 있다.

TIP. 낮은 물에서 호흡법 연습

– 공기를 과도하게 마시지 말고, 적당히 마신다(과호흡 방지).

– 공기를 코로 내쉬면서(음~~~~~~ 소리) 수면 안으로 들어간다

– 처음에는 물속 깊이 들어가지 말고 코와 눈까지만 들어갈 수 있도록 연습

– 물속에서는 폐의 공기가 충분히 밖으로 나오도록 내쉬어야 한다.

– 물 밖에서는 입을 벌리고 공기가 자연스럽게 자동으로 들어가는 것을 느낀다.

※ 입을 벌렸을 때 자연스럽게 공기와 함께 물이 입안으로 들어갈 수 있다.

※ 입안에 들어온 물은 재차 물속으로 들어갈 때 입에서 물 밖으로 나가도록 할 수 있다.

– 앞으로 걸어가면서 위와 같은 동작을 연습

물속에서 공기를 내쉬는 시간을 때로는 길게, 또는 빨리 공기를 내쉬면서 타이밍을 짧게 연습해 본다.

2. 깊은 물에서 생존수영 호흡연습 하기

생존수영 호흡법이 얕은 물에서 익숙해졌다면 물에 대한 두려움을 이겨내고 상급의 생존수영기술을 습득하기 위해 깊은 물로 이동하여 호흡법을 연습해야 한다. 안전사고의 우려가 있으므로 지도강사의 지도에 따라 점진적으로 습득한다.

(1) 깊은 수심에서 호흡하기

얕은 수심에서 호흡법을 충분히 연습하고, 지도강사의 지시에 따라 깊은 수심에 들어가 발이 풀 바닥에 닿는 것을 확인한다. 평정심을 지키고, 수영장 풀 사이드를 손으로 잡고 의지하면서 깊은 물에 적응한다. 이후 자연스럽게 머리를 물속에 담그면서 호흡법을 연습한다.

(2) 다음의 순서로 깊은 물에서 호흡법을 연습한다.

가. 손으로 풀 사이드를 잡고 몸의 균형을 유지한다.

나. 몸의 균형을 유지한 상태에서 코로 공기를 자연스럽게 내쉬면서 물속으로 들어간다.

다. 코로 공기를 충분히 내쉬고 머리를 들어 입을 벌려 공기가 자연스럽게 들어오는 것을 확인한다.

라. 위 동작을 반복하면서 연습하여 물에 대한 두려움과 호흡의 자연스러움을 느낀다.

마. 깊은 물에서 자연스럽게 호흡이 이루어지는 것을 확인한 후 한 손으로 수영장 풀 사이드
　를 잡고 앞으로 이동하면서 호흡법을 반복한다.

TIP. 깊은 물에서 호흡법 연습

- 얕은 수심에서 호흡법을 충분히 연습한다.
- 지도강사의 지시에 따라 깊은 수심에 들어간다.
- 발이 풀 바닥에 닿는 것을 확인
- 평정심을 지키고, 수영장 풀 사이드를 손으로 잡고 의지
- 시간을 가지고 깊은 물에 적응
- 손으로 풀 사이드를 잡은 상태에서 자연스럽게 머리를 물속에 담그면서 호흡법을 연습
- 손으로 풀 사이드를 잡고 몸의 균형을 유지
- 균형을 유지한 상태에서 코로 공기를 자연스럽게 내쉬면서 물속으로 들어간다.
- 깊은 물에서도 코로 공기를 충분히 내쉰다.
- 머리를 들어 입을 벌렸을 때 공기가 자연스럽게 입으로 들어오는 것을 확인
- 동작을 반복하면서 연습
- 물에 대한 두려움 해소와 호흡의 자연스러움을 느낀다.
　물속에서 공기를 내쉬는 시간을 때로는 길게, 또는 빨리 공기를 내쉬면서 타이밍을 짧게 연습해 본다.

3. 자신의 신장보다 깊은 물에서 생존수영 호흡하기

깊은 물에서 생존수영 호흡법이 익숙해졌다면 호흡법을 활용하여 자신의 신장보다 수심이 다소 깊은 물에서 안전하게 생존하기 위한 호흡법 연습을 한다. 이 연습은 성인의 경우 반드시 수심이 1.8M가 넘지 않는 곳에서 해야 하고, 초등학생의 경우 1.2M 이하의 수심에서 연습하는 것이 안전사고 예방에 바람직하다. 또한 지도강사 및 안전요원의 지도 감독하에 진행되어야 한다.

(1) 자신의 신장보다 다소 깊은 수심에서 호흡하기

지도강사의 지시에 따라 깊은 수심에 들어가 수영장 풀 사이드 손을 정확하게 잡고 발이 풀 바닥에 닿는지 확인한다. 발이 바닥에 닿지 않을 경우 호흡법을 하면서 머리를 물속에 넣고 공기를 내쉬며 팔을 뻗어 발이 수영장 바닥에 발이 닿게 한다. 물 밖으로 올라갈 때는 가볍게 발로 점프하고, 팔의 힘을 이용하여 물 위로 나와 자연스럽게 호흡한다. 중요한 점은 반드시 손과 팔로 수영장 풀 사이드를 잡고 진행해야 하며, 만일에 팔을 뻗어도 수영장 바닥에 발이 닿지 않는다면 절대로 진행해서는 안 된다.

(2) 호흡법의 주의사항

많은 익사사고가 자신의 신장보다 다소 깊은 물에서 발생한다. 수심을 알 수 있는 깊은 물에서 사고를 당했을 때 호흡법이 도움을 줄 수 있다. 그러나 생존수영기술 습득을 위한 호흡법을 연습하는 것이므로 안전사고 위험을 감수할 필요는 없다. 따라서 지도강사 및 안전요원의 지시 없이 절대로 본 호흡법 연습을 하지 않도록 주의한다.

(3) 다음의 순서로 다소 깊은 물에서 호흡법을 연습한다.

가. 팔을 뻗으면서 코로 공기를 내쉬고, 물속으로 들어간다.

나. 팔을 뻗으면서 코로 공기를 내쉬고 발이 수영장 바닥에 닿는 것을 느낀다.

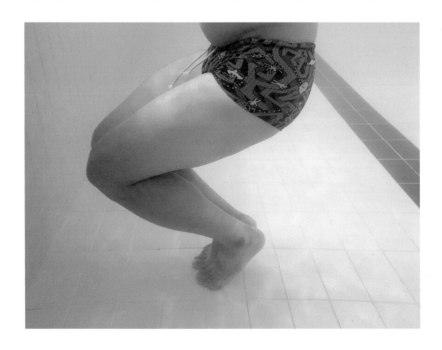

다. 물속에서 공기를 충분히 내쉰 후 발로 바닥을 점프하면서 물 밖으로 나와 입을 벌려 공기가 자연스럽게 들어오는 것을 느낀다.

라. 반복적으로 연습하면서 다소 깊은 물에 대한 두려움과 호흡의 여유로움을 느낄 수 있도록 연습한다.

TIP. 다소 깊은 물에서 호흡법 연습

- 수영장 풀 사이드에 손을 정확하게 잡고 발이 풀 바닥에 닿는지 확인
- 호흡법을 내쉬며 물속에 들어가면서 팔을 뻗어 발이 수영장 바닥에 발이 닿게 한다.
- 물 밖으로 올라갈 때 발로 점프하고, 팔의 힘을 이용하여 물 위로 나와 자연스럽게 호흡
- 손과 팔로 수영장 풀 사이드를 잡고 진행
- 만일에 팔을 뻗어도 수영장 바닥에 발이 닿지 않는 수심에서 연습금지
- 반복적으로 연습하면서 물에 대한 두려움과 호흡의 여유로움을 느낄 수 있도록 연습

※ 주의사항
- 성인의 경우 반드시 수심이 1.8M가 넘지 않는 곳에서 해야 하고, 초등학생의 경우 1.2M 이하의 수심에서 연습 반드시 지도강사와 안전요원의 지도 감독하에 실시

2

생존수영 물 적응하기

생존수영교육에 처음으로 참여하는 교육생은 물이라는 환경에 적응하는 수준에 따라 생존수영교육의 성공 여부가 결정된다. 가장 기본적으로 해야 하는 과정은 물에서 신체적 균형을 유지하는 것이다. 물은 부력의 특성을 가지고 있으므로 일반적인 움직임과 다르고, 쉽게 넘어질 수 있다. 물속에서 균형을 잃을 경우 안전사고로 이어질 수 있고, 물에 대한 두려움이 생겨 교육 진행에 차질을 줄 수 있다. 따라서 지도강사와 지도교사는 교육생들이 물에 효율적으로 적응할 수 있는 프로그램을 우선해서 적용하는 것이 바람직하다. 이 장에서는 교육생들의 물 적응을 위한 프로그램을 소개한다.

1. 안전하게 입수하기

지도강사의 지시에 따라 충분히 준비운동을 한 후 심장보다 먼 발부터 천천히 얕은 물에 입수한다. 수영장별로 수심이 다르므로 수심을 확인하는 것이 용이하며, 급하게 들어가지 않는다. 입수하기에서 주의할 점은 넘어지지 않고 입수한 후 적절한 균형을 유지하는 것이다.

2. 물속에서 걷기

지도강사의 지시에 따라 입수한 후에는 가벼운 걷기를 통해 몸의 균형을 잃지 않고 이동한다. 걷기의 방법으로 앞으로 걷기, 옆으로 걷기, 뒤로 걷기 등을 천천히 실행하면서 수중에서 몸의 균형을 유지하기 위해 노력한다. 처음에는 얕은 물에서 시작하고, 점차 수심이 깊은 곳에서 연습한다.

3. 물속에서 점프하기

걷기 연습이 끝나면 수중에서 점프연습을 진행한다. 점프 후 착지하면서 균형을 잃지 않도록 노력해야 하며, 제자리에서 가벼운 점프부터 천천히 앞으로 진행하면서 실시한다. 이어 옆, 뒤로 점프하면서 균형을 유지한다. 점차 얕은 수심에서 깊은 수심으로 옮기며 연습한다.

4. 물속에서 방향전환 하기

점프 연습이 끝나면 수중에서 점프 후 방향전환 연습을 진행한다. 점프 후 좌, 우, 뒤로 방향전환을 하고, 착지하면서 균형을 잃지 않도록 노력한다. 방향전환 후 넘어지지 않도록 균형을 유지하고, 점차 얕은 수심에서 깊은 수심으로 옮기며 연습한다.

생존수영 장비착용 실습하기

생존수영 실내교육을 통해 장비사용에 대하여 정확하게 숙지하고, 장비착용 실습을 통해
정확한 행동을 숙지한다. 실제 이론을 아는 것과 할 수 있는 것은 다르므로 반복적인 실습을
통해 수상안전장비 착용을 완벽하게 수행한다.

이 장에서는 생존수영 장비 중에서 레저용 구명조끼와 구조용 구명조끼를 활용하는 장비
착용 교육을 주로 제시하였다.

1. 레저용 구명조끼 착용 실습

구명조끼는 크게 레저용 구명조끼와 구조용 구명조끼로
구분된다. 용도에 따라 그 기능과 구성에 차이가 있다. 먼저
레저용 구명조끼의 모양과 구성을 확인하고 정확한 착용능
력을 함양한다.

실습에서는 먼저 신체 사이즈에 맞는 구명조끼를 선택해
야 한다. 구명조끼는 고유의 부력을 가지고 있으므로 신체 사
이즈와 체중을 확인한 후 착용하는 것이 현명하다. 그리고 다
리끈과 고정고리, 구성품을 확인하고 지도강사의 지도에 따

라 정확하게 착용한다. 또한 신속하게 착용할 수 있도록 연습을 통해 시간을 단축한다.

TIP 1. 레저용 구명조끼 착용

– 자신의 신체 사이즈에 맞는 레저용 구명조끼를 선택

체중 및 부력크기 확인

다리 끈, 고정고리 확인

구성품(호루라기) 확인

다리 끈을 먼저 착용한다.

고정고리 중 가슴 쪽을 먼저 착용

고정고리 중 다리 쪽을 다음에 착용

고정고리 끈을 조여 신체에 맞게 고정

다리 끈을 조여 신체에 맞게 고정

착용 시간을 확인

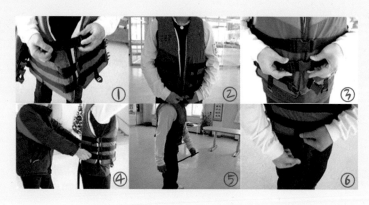

2. 구조용 구명조끼 착용 실습

먼저 구조용 구명조끼의 모양과 구성을 확인하고 정확한 착용능력을 함양 한다. 실습에서는 먼저 신체 사이즈에 맞는 구명조끼를 선택한다. 구명조끼는 고유의 부력을 가지고 있으므로 신체 사이즈와 체중을 확인한 후 착용하는 것이 현명하다. 참고로 구조용 구명조끼는 성인용과 유아용을 구분하는 경우가 많다.

이후 고정고리, 구성품(호루라기, 조명램프, 조명탄)을 확인하고 지도강사의 지도에 따라 정확하게 착용한다. 또한 신속하게 착용할 수 있도록 연습을 통해 시간을 단축한다.

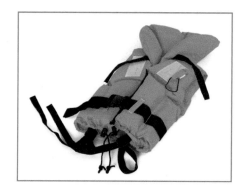

TIP 2. 구조용 구명조끼 착용

– 자신의 신체 사이즈에 맞는 구조용 구명조끼를 선택
고정고리 확인
구성품(호루라기, 조명램프, 조명탄) 확인
고정고리 중 가슴 쪽을 먼저 착용
고정고리 중 다리 쪽을 다음에 착용
고정고리 끈을 조여 신체에 맞게 고정
목끈을 턱 아래까지 조여 묶는다.
목끈이 목을 조르지 않도록 주의
착용 시간 확인

생존수영 장비착용 후 뜨기와 이동하기

구명조끼 착용 후 물에 입수하면 부력이 발생하여 몸이 물 위에 뜨게 된다. 그러나 정확하게 균형을 잡지 못하면 호흡곤란과 같은 안전사고가 발생할 수 있다. 따라서 입수 후 정확한 균형 유지를 위한 연습과 뜨기를 활용하여 필요한 경우 원하는 장소까지 이동하는 기술습득이 필요하다. 이 장에서는 장비착용 후 균형 잡는 방법과 뜨기, 이동하기 기술 중 기초적인 내용을 소개한다.

1. 균형잡기

구명조끼 착용 후 물에 입수하면 몸이 앞으로 쏠리면서 얼굴이 물속으로 들어갈 수 있어 호흡곤란 등의 안전사고가 발생할 수 있다. 그러므로 입수 후에는 신속히 몸을 수면과 수직이 되도록 만들어 균형을 잡아야 하며, 손과 발을 이용하여 얼굴이 물속으로 들어가지 않도록 균형을 잡는다.

2. 수직 균형 잡기에서 방향전환

구명조끼 착용 후 적절한 균형을 유지하게 되어 수면과 수직이 되면 좌, 우, 뒤 방향전환을 연습하여 재차 신체 균형을 잡는 연습을 한다. 손과 발을 이용하여 방향전환을 유지할 수 있다.

3. 누워서 뜨기

구명조끼 착용 후 적절한 균형유지와 수면에서 좌, 우, 뒤 방향전환이 가능하게 되면, 천천히 하늘 방향을 바라보며 수면에 누워본다. 수면에 몸의 균형을 유지하며 눕게 되면 최소한의 에너지로 부력을 유지할 수 있고, 이동에도 유리하다. 수면에서 누워서 뜨기를 할 때는 머리를 무리하게 들지 않도록 하고, 편안한 자세를 유지하도록 노력한다.

4. 이동하기

구명조끼 착용 후 적절한 균형유지와 수면에서 균형을 유지하며 누워 뜨기가 익숙해지면 편안한 자세를 유지하면서 필요할 경우 원하는 장소까지 이동할 수 있다. 수직자세보다 누워뜨기 자세에서는 물의 저항이 적게 발생하나 시선이 하늘 방향을 바라보고 있으므로 이동 시 안전사고에 유의해야 한다. 상급기술로 갈수록 뜨기 자세와 고급 이동기술을 습득하기 쉽다. 이장에서는 기초적인 이동기술을 습득한다.

누워뜨기 이후 팔을 이용하여 노를 젓듯이 팔을 당겨 머리 방향으로 이동할 수 있다. 또한 양다리는 가위처럼 위, 아래로 교차하면서 킥을 실시한다. 킥과 팔을 동시에 활용하여 머리 방향으로 나아갈 수 있다.

TIP 1. 이동하기

– 구명조끼 착용 후 적절한 균형을 유지

– 수면에서 균형을 유지하며 누워 뜨기 자세유지

– 수직자세보다 누워뜨기 자세가 이동 시 물의 저항이 적게 발생

– 단, 시선이 하늘 방향을 바라보고 있으므로 안전사고에 유의

– 팔을 이용하여 노를 젓듯이 위에서 아래로 팔을 당겨 머리 방향으로 이동

– 양다리는 가위처럼 위, 아래로 교차하면서 킥을 실시

– 킥과 팔을 동시에 활용하여 머리 방향으로 나아간다.

IV

생존수영 중급 편

1

수심이 깊은 곳에서의 호흡법

생존수영 중급과정에서는 실내교육과 초급과정에서 실시한 내용을 기초로 하여 위기상황에 대처하는 심화 내용을 수록하였다. 이 장에서는 자신의 키보다 깊은 물 속에서 호흡하는 방법을 통해 수심이 깊은 물 속에서 수평자세를 유지하며, 숨을 마시기 위해 수면 위로 올라오고 잠수하는 것을 반복하는 호흡을 할 수 있도록 한다.

수심이 얕은 수영장이나 자신의 키보다 깊지 않은 곳에서 수영을 오랜 시간 배운 사람도 처음부터 수심이 깊은 물 속에서의 호흡은 쉽지 않다. 따라서 수영의 숙련자라고 해서 아무런 사전 준비나 연습, 또는 도움 없이 깊은 물 속으로 들어가는 것은 매우 위험하다. 이 연습은 반드시 지도강사의 지도와 안전요원의 지시에 따라 실행한다.

또한 이 연습은 지도자와 교육생의 1대 1 교육을 원칙으로 하며, 돌발 상황에 언제든지 대비할 수 있도록 안전사고에 유의해야 한다.

– 연습과정 및 방법

(1) 수심 확인하기

풀 사이드를 양손으로 잡고 고개만 숙여 기초 호흡을 연습해 본다. 이때 눈으로 수심을 가늠해보며, 몸의 긴장이 풀릴 때까지 천천히 호흡을 해본다.

(2) 물속 깊이 호흡하기

풀 사이드를 양손으로 잡고 수영장의 바닥에 발이 닿을 때까지 코로 날숨을 천천히 내쉬며 내려가본다. 이때 기초 호흡법과 마찬가지로 날숨은 3초에서 5초 정도로 천천히 길게, 충분히 내쉴 수 있도록 한다. 얼굴이 수면 위로 올라왔을 때는 반드시 편안하게 들숨이 들어오도록 한 후 다시 물속으로 들어갈 수 있도록 반복하여 연습한다. 긴장을 하면 호흡이 빨라질 수 있기 때문에 평상시대로 천천히 안정감 있게 연습한다.

(3) 깊은 물 균형유지 호흡

풀 사이드에서 손을 뻗으면 닿을 수 있는 거리에서 양손을 놓고 체중을 이용하여 발이 수영장 바닥에 닿을 때까지 코로 숨을 내쉬면서 기다린다. 중요한 점은 수직으로 수영장 바닥으로 내려가는 것이 중요하고, 날숨이 멈추지 않도록 한다. 또한 팔은 차려자세를 유지하여 물속으로 들어가는 것을 보조한다.

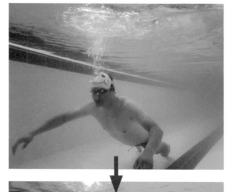

지도자가 항상 옆에서 보조하여 연습하는 것이 효과적이며, 자칫 풀 사이드와 거리가 멀어져 손에 닿지 않는 일이 생길 수 있기에, 지도강사는 안전사고 예방에 절대적으로 유의한다.

(4) 깊은 물 바닥 차고 호흡하기

날숨을 하며 바닥에 발이 다이면 가볍게 점프하여 얼굴이 물 밖으로 나오게 한 후 입을 벌려 공기가 자연스럽게 들어올 수 있도록 한다. 익숙해질 때까지 반복적으로 연습하며, 익숙해지면 좌, 우, 뒤 방향전환과 가볍게 점프하면서 앞으로 일정 거리를 이동해본다.

절대로 무리하여 먼 거리를 이동하지 않도록 하며, 신체의 균형과 호흡에 집중한다. 이후 조금씩 거리를 늘려가는 것이 중요하다.

지도자는 연습자의 시야에 위치해 있어야 하며, 가능한 교육생 스스로 연습할 수 있도록 보조한다.

(5) 손과 발을 이용하여 호흡하기

바닥을 발로 차고 올라와 호흡하는 것이 익숙해지면, 바닥에 발을 닿지 않고 물속에 들어갔다가 손과 발을 이용하여 물 위로 올라오면서 하는 호흡을 연습해 본다.

TIP 1. 풀 사이드 놓고 깊은 물 호흡하면서 균형 잡기

– 풀 사이드를 양손으로 잡고 고개만 숙여 기초 호흡 연습

– 눈으로 수심을 확인

– 풀 사이드를 양손으로 잡고 수영장의 바닥에 발이 닿을 때까지 코로 날숨을 천천히 내쉬며 내려간다.

– 천천히 길게, 충분히 내쉴 수 있도록 하며, 얼굴이 수면 위로 올라왔을 때는 반드시 편안하게 들숨이 들어오도록 확인

– 풀 사이드에서 손을 놓고, 체중을 이용하여 발이 수영장 바닥에 닿을 때까지 코로 숨을 내쉰다.

– 수면과 수직으로 수영장바닥으로 내려가는 것이 중요

– 날숨이 멈추지 않도록 한다

– 팔은 차렷 자세를 유지, 물속으로 들어가는 것을 보조

– 바닥에 발이 다이면 가볍게 점프

– 얼굴이 물 밖으로 나오게 한 후 들숨이 자연스럽게 입으로 들어오도록 확인

– 반복하여 익숙해지면 좌, 우, 뒤 방향전환

– 점프하면서 앞으로 일정 거리를 이동

– 신체의 균형과 호흡에 집중

– 지도자는 교육생의 시야에 위치

– 교육생 스스로 연습할 수 있도록 보조

– 지도강사는 안전사고 예방에 절대적으로 유의

TIP 2. 발 점프 없이 깊은 물에서 호흡하기

- 코로 내쉬면서 바닥에 발을 닿지 않고 물속에 들어간다.
- 충분히 호흡을 내쉬면 손과 발을 이용하여 물 위로 올라온다.
- 머리가 수면으로 올라오면 입으로 호흡
- 반복연습을 통해 호흡 타이밍을 연습
- 지도강사는 안전사고에 절대적 유의

Activity 1. 수심이 깊은 곳에서 호흡해보기

- 풀 사이드를 잡고 천천히 들어가 보기
- 풀 사이드를 잡고 호흡을 하며 수심 체크해보기
- 풀 사이드를 놓고 바닥에 발이 닿을 때까지 내려가며 호흡해보기
- 바닥에 발을 닿지 않고 깊은 물에서 호흡해보기

2

생존 뜨기

새우뜨기

생존뜨기는 새우뜨기, 엎드려뜨기, ㄷ자뜨기, 누워뜨기 등 여러 가지가 있다. 이러한 생존뜨기는 도구나 부이를 이용하지 않고 맨몸으로 수중에서 연습함으로써 구명조끼 착용 후 더욱 익수자의 안전을 확보할 수 있다.

엎드려뜨기

그림과 같이 새우뜨기, 엎드려뜨기, ㄷ자뜨기는 얼굴이 물속에 잠긴 채로 하는 뜨기로 장시간 생존하기에는 어려움이 있다. 그러나 새우뜨기의 경우 다리의 경련이 일어났을 때 도움을 줄 수 있다.

하지만, 인간은 기본적으로 수중에서 긴장하거나 경직되어 있지 않으며, 편안한 자세로 있게 되면 자연스럽게 물 위로 뜰 수 있다는 감각을 익히기 위해서는 반드시 필요한 연습이다.

이 장에서는 생존뜨기 중에서 이 책의 초

ㄷ자뜨기

급과정에서 구명조끼 착용 후 뜨기 연습의 심화 과정으로 맨몸으로 얼굴을 수면으로 내밀고 할 수 있는 누워뜨기를 중점으로 연습한다.

누워뜨기

1. 킥보드 활용 누워뜨기

킥보드를 자신의 배에 위치하도록 한다. 가슴 쪽으로 끌어안지 않도록 하며, 풀 사이드에 다리를 올려놓고 누워뜨기를 연습해 본다. 이때 교육생이 안심하고 연습할 수 있도록 지도자가 연습자의 목을 가볍게 손으로 잡아주도록 하며, 호흡을 안정적으로 할 수 있도록 도움을 주고, 경직이 풀어지게 되면 천천히 잡은 손을 놓아준다.

2. 맨몸 누워뜨기

들숨과 날숨을 천천히 일정하게 하도록 하고, 날숨을 내쉬면 천천히 내려가고, 들숨을 마시면 다시 떠오르는 느낌을 가질 수 있을 때까지 풀 사이드에 다리를 올려놓고 연습해 본다. 익숙해지면 지도자가 연습자의 다리를 풀 사이드에서 내려 직접 잡아주며 연습해 본다.

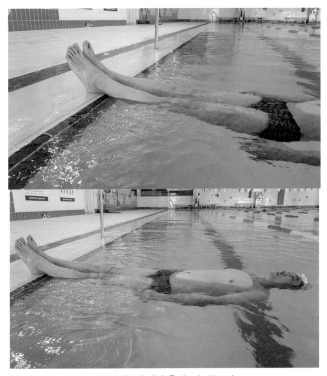

풀 사이드에 다리 올리고 누워뜨기

지도강사가 다리 잡아주면서 누워뜨기

3. Y자 누워뜨기

손과 팔을 머리 위 Y자로 편안한 자세로 만들며 누워뜨기를 연습해 본다.

손을 차려자세나 상체 밑으로 손을 위치한 것보다 상체 위쪽으로 손을 올리게 되면 폐가 상체 하체 정중앙에 위치하게 되어 좀 더 균형 있는 뜨기를 할 수 있다.

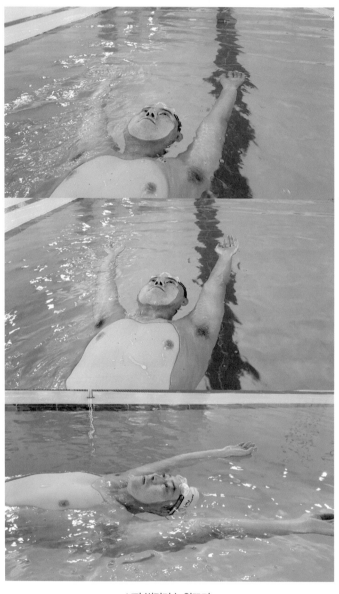

Y자 벌리기 누워뜨기

4. 깊은 수심에서 누워뜨기, 누워뜨기로 전환하기

수심이 얕은 곳에서 혼자서 누워뜨기를 연습해 본다. 이후 수심이 깊은 곳에서 지도자의 도움 없이 누워뜨기를 연습해 본다. 단순히 누워뜨기를 할 수 있다고 해서 서 있는 상태에서 바로 누워뜨기 자세로 할 수 있는 것은 아니기 때문에 지도자의 도움 없이 엎드려 있는 자세, 또는 서 있는 자세에서 누워뜨기 자세로 변형할 수 있는 연습이 반드시 필요하다.

깊은 물에서 누워뜨기　　　　　　　기본자세, 수직자세에서 누워뜨기 전환

TIP. 깊은 물에서 누워뜨기

– 킥보드를 배에 위치
– 풀 사이드에 다리를 올려놓고 연습
– 호흡을 안정적으로 할 수 있도록
– 손과 팔을 머리 위 Y자로 편안한 자세로 만들며 누워뜨기를 연습
– 수심이 깊은 곳에서 지도자의 도움 없이 누워뜨기를 연습
– 서 있는 자세에서 누워뜨기 자세로 변형 연습

Activity 1. 누워뜨기 연습해 보기

- 킥보드나 부이를 이용하여 누워뜨기를 할 수 있다.
- 킥보드나 부이를 이용하지 않고 누워뜨기를 할 수 있다.
- 서 있는 자세, 또는 엎드려 있는 자세에서 누워뜨기로 자세를 바꿀 수 있다.
- 누워뜨기를 5분 이상 할 수 있다.

3

구조배영

생존수영에서의 구조배영이란 물에 빠진 사람, 즉 익수자를 구하는 운반법과 자신의 생명을 자기 스스로 구조하는 이동법을 말한다.

구조배영을 실시할 수 있는 조건은 안전사고가 난 지점과 안전지대의 거리가 멀지 않을 때, 혹은 구조선이 도착했으나 사고자의 위치까지 도달할 수 없는 상황 등이다. 즉 교육생은 구조배영 기술을 습득하여 필요 시 원하는 곳으로 이동할 수 있어야 한다.

넓은 바다나 강의 경우 구조배영으로 이동하게 되면 체력소모로 인한 탈진이 발생할 수 있고, 주변에 위험요소가 있을 때는 2차 사고의 위험에 대비해야 한다.

– 구조배영 연습

(1) 구조배영킥을 올바른 자세로 차기

교육생이 자유형이나 배영 또는 초급 생존수영기술을 구사할 수 있다면, 아주 쉽게 익힐 수 있다. 구조배영킥은 플러터킥(flutter kick)으로 흔히 알고 있는 자유형 발차기와 배영발차기의 기본으로서 양발을 교차하여 물장구를 치듯이 발등으로 가볍게 차는 킥이다.

풀 사이드 앉아서 발차기 자세

먼서 풀 사이드에 앉아서 킥의 감을 익힌다. 발등으로 물을 밀어내는 느낌이 들기 위해서는 무릎 밑까지 물속에 담그고 킥을 실시하며, 발끝이 수면 위로 올라올 듯 말듯 하는 정도가 가장 좋다. 또한 발목을 일부러 펴거나 발끝을 세우지 않도록 하며, 발목은 힘을 빼고 부드럽게 차야 한다.

풀 사이드 앉아서 발차기 자세

잘못된 자세

(2) 킥보드를 이용 구조배영 연습하기

생존뜨기 연습과정과 마찬가지로 킥보드를 배에 위치할 수 있도록 하며, 킥을 부드럽게 차며 이동해본다. 이때 신체의 움직임이 있기 때문에 호흡이 빨라질 수 있는데, 킥을 강하게, 또는 빠르게 차서 이동하는 것보다 호흡을 천천히, 그리고 편안하게 하는 것이 더욱 중요하다.

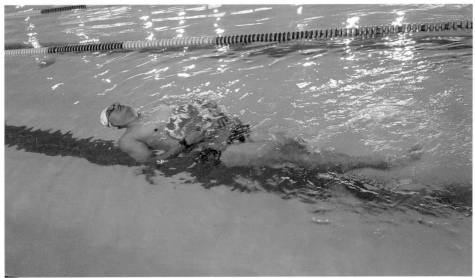

킥보드 이용 구조배영킥

(3) 맨몸으로 구조배영 연습하기

빠르게 이동하는 것보다 지속적으로 자세를 유지하며, 편안하게 나아가는 것이 중요하다. 팔을 편안하게 차려자세로 먼저 연습하고, 손을 머리 위쪽으로 올려서도 연습해 본다. 팔의 위치를 다양하게 하여 연습해 보도록 하며, 절대 팔의 위치가 수면 위로 많이 올라가지 않도록 주의한다.

차렷 구조배영킥

손을 머리 위로 올려 구조배영킥

(4) 평영킥을 이용하여 구조배영 연습하기

교육생이 평영킥을 구사할 수 있다면, 좀 더 편안하고 쉽게 이동할 수 있다. 평영킥은 플러터킥보다 체력소모가 적고 순간적으로 물을 밀어내어 이동하는 방법이기 때문에 보다 효율적이다.

평영킥을 이용 구조배영킥

평영킥 다리 편 모양

다리 접은 모양

⑸ 팔을 이용하여 구조배영 연습하기

손을 자유롭게 쓸 수 있는 상황이라면 킥과 함께 팔동작을 이용하여 나아가는 것이 체력소모를 줄이고 좀 더 효율적으로 이동하는 방법이 될 수 있다.

먼저 풀 사이드 위에 누워서 팔동작을 연습해 본다. 팔동작은 절대로 동작을 크게 하거나 강하게 해서는 안 되며, 나비가 날갯짓을 하듯이 부드럽게 하는 것이 좋다. 팔동작을 하며 나아갈 때 손이 물 위로 올라오지 않도록 주의하고 물속에서만 이루어질 수 있도록 한다.

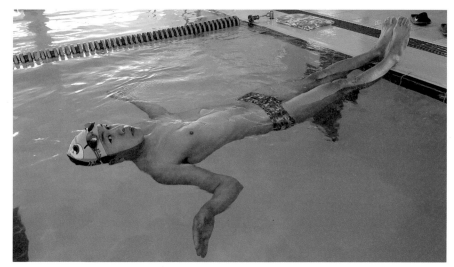

팔동작 폈을 때

팔동작 밀었을 때

TIP 킥보드나 부이처럼 물에 뜨는 물건이 아닌 가벼운 다른 사물을 자신의 배 위에 올려놓고 연습해 본다.

페트병 잡고 구조배영

V

생존수영 상급 편

1

제자리 수영(입영)

제자리 수영

　제자리 수영(입영)은 간단히 말해서 팔동작과 킥을 이용하여 물속에서 부력을 만들어 내는 것을 말한다. 기본적으로 물 위에 떠서 하는 스포츠경기 중 싱크로나이즈나 수구를 생각하면 간단하다.

　물 위에서 보면 그냥 가만히 떠 있는 것처럼 보이지만 물속에서는 킥과 팔동작을 이용하여 수면 위에 떠 있으며 순간적으로 점프까지 하는 것까지 볼 수 있다.

제자리 수영이 가능하면 수심이 깊은 곳에서 자유롭게 주변을 둘러볼 수 있고, 여러 상황에 스스로 대처를 할 수 있기 때문에 사고가 발생했을 때 생존율을 높일 수 있다. 따라서 입영은 생존수영의 상급과정에서는 가장 기본적이고 필수적인 생존수영기술이라 할 수 있다.

그러므로, 상급자의 경우 입영을 반드시 마스터할 수 있도록 연습을 하고, 다음 단계로 나아갈 수 있도록 한다. 제자리 수영은 수영 영법 중 평영에 익숙한 사람이라면 조금만 연습을 한다면 쉽게 익힐 수 있으며, 마스터를 하기 위해서는 다음과 같이 단계적으로 연습을 한다.

– 제자리 수영(입영)의 연습

(1) 킥으로 부력 만들기

양손으로 풀 사이드를 잡고 목까지 몸을 담근 채 평영킥을 아래쪽을 향하여 차보면서, 몸이 수면 위로 킥을 할 때마다 떠오르는 것을 느껴본다. 이때 절대로 킥의 박자를 빠르게 하지 않으며, 여유를 가지며 천천히 찰 수 있도록 한다.

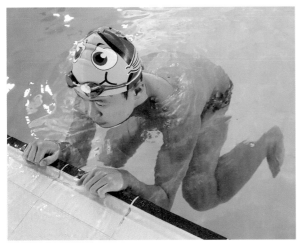

풀 사이드 잡고 킥 연습

풀 사이드 잡고 킥 연습(접었을 때)

풀 사이드 잡고 킥 연습(찼을 때)

(2) 한발 평영킥, 부력 만들기

양손으로 풀 사이드를 잡고 목까지 몸을 담근 채 양발을 번갈아 가면서 한발씩 차본다. 평영 킥을 한발씩 번갈아 가며 차는 킥을 한발 평영킥 또는 로터리킥이라고 하는데 제자리 수영은 양발을 같이 차는 방법과 번갈아 차는 방법 두 가지를 모두 연습할 필요가 있다.

양발을 번갈아 가며 바닥 쪽으로 향하여 차는데, 첫 번째와 마찬가지로 가라앉지 않을 정도 로 가급적 여유 있게 할 수 있도록 한다.

익숙하지 않을 때는 체력소모가 대단히 많을 수 있으나, 익숙해지면 체력을 많이 소모하지 않고 오래도록 편안하게 물 위에 떠 있을 수 있기 때문에, 초반에 너무 힘들다고 본래부터 제자 리 수영은 힘든 수영이라는 생각은 하지 않길 바란다.

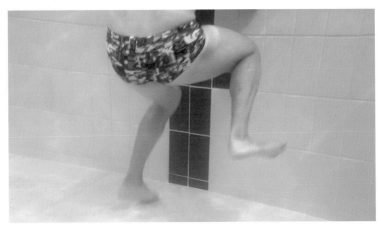

풀 사이드 잡고 로터리킥

풀 사이드 잡고 로터리킥

킥보드 잡고 로터리 킥

(3) 킥보드 지지, 부력 만들기

킥보드, 또는 부이를 이용하여 양발차기, 번갈아차기를 해본다.

급하게 킥을 하지 않도록 하며, 수면 위로 몸이 많이 올라가지 않도록 주의한다. 수면에 머리만 나오는 정도가 가장 좋다.

킥보드를 자신의 턱 앞에 위치하고 손으로 킥보드의 양옆을 가볍게 잡고 킥을 차본다. 이때 앞으로, 또는 뒤쪽으로 이동하지 않도록 주의한다.

몸의 자세는 곧게 편 자세보다는 구부정한 자세가 부력에 좀 더 도움을 준다.

자신의 얼굴이 가라앉지 않는 정도가 가장 좋다고 했는데, 평상시 평영킥으로 강하게 차다보면 상체가 수면 위로 너무 올라오게 되어 그만큼 가라앉는 힘도 강해지게 되어 오르락내리락하는 일이 반복되어 쉽게 지치게 된다.

킥보드 잡는 사진

킥보드를 잡고 제자리 수영

(4) 팔동작을 이용한 부력 만들기

팔동작을 이용하여 제자리 수영을 연습해 본다.

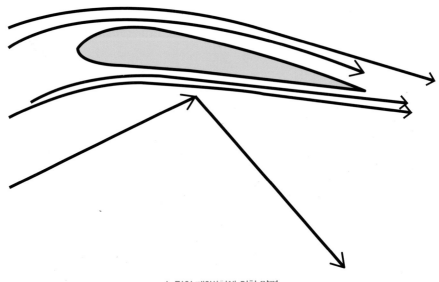

뉴턴의 제3법칙에 의한 양력

그림에서 보는 것과 같이 제자리 수영에서의 팔동작은 비행기 날개에 작용하는 양력과 그 원리가 같다고 생각하면 된다. 물속에서는 공기의 흐름이 아닌 물의 흐름을 직접 자기의 손으로 손바닥의 아래로 향하게 하여 부력을 만들어 내는 원리이다.

제자리 수영을 할 때 팔동작까지 이용을 하게 되면 더 적은 힘으로 더욱 오랜 시간 동안 제자리 수영을 할 수 있게 된다.

먼저, 수심이 얕은 물 속에서 앉아서 팔동작을 연습해 본다.

손목과 손바닥에 적당히 힘을 주어 물이 손바닥 밖으로 새어 나가지 않도록 주의하며, 손목이 구부러지지 않도록 한다. 준비 자세로 앞으로 나란히 하는 자세에서 양옆으로 Y자로 손바닥을 바닥으로 향한 채 팔을 벌린다.

팔을 안쪽으로 구부릴 때 어깨부터 팔꿈치까지는 움직이지 않도록 주의하며, 팔꿈치부터 손바닥까지만을 이용하도록 한다.

지상훈련 Y자 벌리기(아웃스윕)

지상훈련 인스윕

위 사진처럼 손을 안쪽으로 모을 때는 손바닥이 비스듬히 안쪽으로 향하도록 하며, 바깥쪽으로 보낼 때는 비스듬히 바깥쪽으로 향하도록 한다. 동작을 너무 끊어서 하지 않도록 하며, 부드럽게 연속적으로 하는 것이 좋다. 이때 물의 흐름이 손바닥 아래쪽으로 흐르는지 확인한다.

(5) 제자리 수영(입영) 완성하기

킥과 팔동작의 콜라보, 콤비네이션으로서 제자리 수영의 최종 단계이다. 제자리 수영의 평영 킥과 로터리킥을 마스터했다면 어렵지 않게 팔동작과 연결할 수 있을 것이다. 킥으로만 이용하여 제자리 수영을 했을 때보다 훨씬 체력소모가 적다는 것을 느낄 수 있다.

처음엔 부이 없이 가라앉지 않고 제자리 수영을 하는 것이 굉장히 힘들고 어려울 것이다. 그럴 땐 깊은 물 호흡법을 활용하여 물속으로 들어가 다시 킥과 팔동작을 이용하여 천천히 올라오고 다시 천천히 들어가는 방법으로 하며, 제자리에서 킥을 하는 것에 익숙해지면, 가라앉고 올라오고 하는 정도를 줄여나가면서 연습한다.

제자리 수영

제자리 수영 수중사진

⑹ 제자리 수영 고급과정

머리만 수면 위로 내놓은 채 제자리 수영이 익숙해지면, 양손을 수면 위로 손목까지만 올려 놓을 수 있도록 연습해 본다. 이 과정까지 마스터했다면 수심이 깊은 물 속에서도 양손을 물 위 에서 자유롭게 사용할 수 있다.

손목 올리고 제자리 수영

TIP 1

기본 평영 영법의 킥을 100%라고 본다면, 제자리 수영의 킥은 50%에서 60% 정도의 힘으로 킥을 찬 다고 생각하면 좀 더 편안하게 할 수 있다.

TIP 2

팔동작의 인스윕, 아웃스윕의 동작을 간단히 손바닥으로 옆으로 누운 8자(∞)를 그린다고 생각하면 좀 더 리드미컬한 동작으로 만들 수 있다.

TIP 3

팔 전체를 이용한다고 해서 팔의 동작이 너무 크지 않도록 한다. 중요한 것은 팔꿈치부터 손바닥까지의 동작이다. 어깨부터 팔꿈치까지는 가급적 움직임을 최소화하는 것이 체력소모가 덜하다.

TIP 4

부이 없이 제자리 수영이 너무 힘들다면 보빙을 하는 듯이 킥을 차서 수면 위로 올라와 호흡을 하고, 물속으로 들어갔다가 킥을 차고 다시 올라오는 방법으로 연습을 하고 점차 오르락내리락 하는 정도를 줄여나가면 좀 더 익히기 쉽다.

킥을 차며 수면 위로 올라오는 사진

물속으로 들어가서 날숨을 하는 사진

Activity 1. 제자리 수영 마스터 체크 단계

- 풀 사이드를 양손으로 잡고 평영킥을 바닥 쪽을 향해 찰 때 몸이 수면 위로 뜨는 것을 느낄수 있다. (   )

- 풀 사이드를 양손으로 잡고 로터리킥으로 찰 때 양손을 놓아도 가라앉지 않는 느낌을 가질 수 있다. (   )

- 부이를 잡고 평영킥, 로터리 킥을 이용하여 머리가 가라앉지 않도록 할 수 있다. (   )

- 부이 없이 제자리 수영을 하며 보빙을 할 수 있다. (   )

- 부이 없이 제자리 수영을 하며 머리가 가라앉지 않는 자세로 3분 이상 할 수 있다. (   )

- 손목까지 수면 위로 올려놓고 제자리 수영을 3분 이상 할 수 있다. (   )

2

스컬링(Sculling)

스컬링이란 생존 누워뜨기에서 조금 더 상급과정이라고 생각하면 된다. 생존뜨기는 물의 흐름대로 내 몸을 흐름에 맡기고 떠 있다고 한다면, 스컬링은 누워뜨기 자세에서 여러 가지 동작을 하거나 휴식을 취할 수도 있으며, 방향전환이 가능하다.

팔동작 만을 이용하기 때문에 수영 중 체력이 감소하였거나 다리 부상으로 킥을 사용하지 못할 때 유용하게 이용할 수 있다.

– 스컬링 종류와 연습

(1) 플랫스컬(Flat Scull)

플랫스컬은 움직이지 않고 제자리에 머물 때 사용한다. 시작 자세는 엄지 손가락을 아래로 향하게 하여 어깨너비로 손을 약간 뒤집은 상태로 안쪽에서 바깥쪽으로 손을 움직인다.

단 팔꿈치는 항상 구부러진 상태를 유지해야 한다. 동작은 부드럽고 계속적으로 이루어져야 한다.

플랫스컬 손의 동작

(2) 머리 우선 스컬(Head-first Scull)

머리 우선 스컬은 플랫 스컬과 비슷하지만 손바닥의 방향을 발 쪽으로 향하여 물을 밀어내기 때문에 몸 전체가 머리 쪽으로 움직이게 하는 방법이다.

이동하는 것에 너무 집중하지 말고 부력과 함께 만들어야 하는 방법이기 때문에 손바닥을 과도하게 발 쪽으로 향하지 않도록 주의한다.

쉽게 할 수 있는 방법은 손이 허리 위치에서 좌우로 움직여 준다.

머리 우선 스컬 손의 동작 및 방향

(3) 발 우선 스컬(Feet-first Scull)

발 우선 스컬은 머리 우선 스컬과 같이 플랫스컬과 비슷하지만 손바닥의 방향을 머리 쪽으로 향하게 하여 물을 잡아당기기 때문에 발 쪽으로 움직이게 하는 방법이다. 쉽게 할 수 있는 방법은 양손을 엉덩이 쪽에서 움직인다.

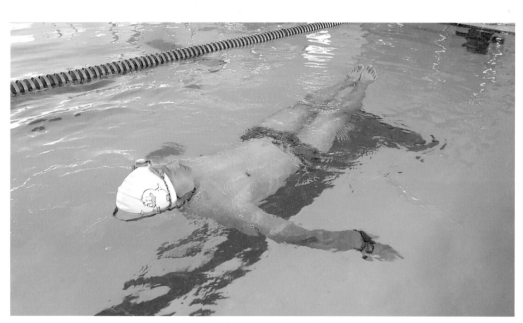

발 우선 스컬 손의 동작 및 방향

제자리 수영과 마찬가지로 익숙하지 않다면 굉장히 힘들 수가 있기 때문에 익숙해지기 전까지 다리를 풀 사이에 올려놓고 연습하거나, 다리 쪽에 부이를 사용하여 연습을 하면 좀 더 쉽게 익힐 수 있다.

스컬링의 팔동작은 제자리 수영의 팔동작을 응용하여 누워뜨기의 제자리 수영이라고 생각하면 좀 더 이해하기 쉽다.

자세를 유지하며 스컬링 동작을 연습할 때에는 발가락이 수면에 올라오도록 하고, 발가락이 가라앉지 않도록 하는 기준을 정하고 연습을 하면 좋다.

● Activity 1. 스컬링 연습해 보기

- 풀 사이드에 다리를 올려 자세를 유지하며, 스컬링 동작을 할 수 있다.
- 부이를 이용하지 않고 플랫 스컬을 할 수 있다.
- 머리 우선 스컬, 발 우선 스컬, 즉 천천히 머리 쪽 방향으로, 또는 다리 쪽 방향으로 이동할 수 있다.
- 스컬링 자세를 유지하며 오른쪽으로, 왼쪽으로 시계침 돌듯이 회전할 수 있다.
- 발가락을 수면 위로 올리고 3분 이상 스컬링을 할 수 있다.

입수법

입수법은 말 그대로 물속으로 들어가는 여러 가지 방법을 말한다. 수면까지의 높이가 높거나 낮을 때, 물의 깊이가 깊을 때, 물의 깊이가 낮을 때, 물의 깊이를 모를 때, 구명조끼를 입고 입수할 때, 이처럼 여러 가지 상황에서의 입수법이 모두 다른 방법으로 입수해야 한다.

선박에서의 위급상황 발생 시 부득이하게 배에서 뛰어내려야 하는 상황이 발생하거나, 익수자를 발견하여 입수구조를 해야 하는 상황일 때 입수법을 이용하여 물속으로 입수하도록 한다. 그냥 풍덩 뛰어들면 된다는 생각으로 입수하면 안전사고가 발생할 수 있으므로 주의한다.

– 입수법의 종류와 연습하기

(1) 조심 들어가기

수심이 1.5M 이하 일 경우나 물속 상황을 알 수 없을 때 조심 들어가기를 사용한다. 수심을 모르거나 물속에 암초 또는 날카로운 돌에 부딪혀 부상을 입을 수 있기 때문에 주의하며 입수하는 가장 기초적인 입수 방법이다

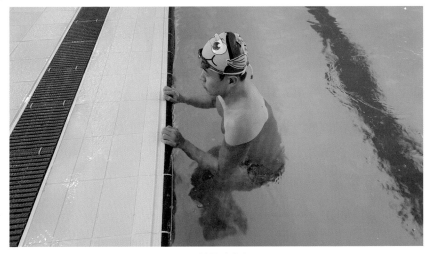

조심 들어가기

(2) 다리 벌려 들어가기

이 입수법은 수심이 1.5M 이상이며, 낙하 위치가 수면으로부터 1M 미만일 경우에 사용한다. 다리 벌려 들어가기는 머리가 물속으로 잠기지 않는 장점이 있다.

다리 벌려 들어가기를 하기 위해서는 상체를 앞으로 약간 굽힌 상태에서 팔은 날개를 펴듯 벌리고 큰 보폭으로 한 걸음 나아가듯이 앞으로 내밀어 주면 된다. 엉덩이가 수면에 위치할 때 양다리를 앞뒤 가위차기로 모으고, 팔을 이용하여 몸 앞으로 물을 감싸 안아주면 되는데 이때 가슴의 면적을 이용하여 부력을 증가시켜주면 된다.

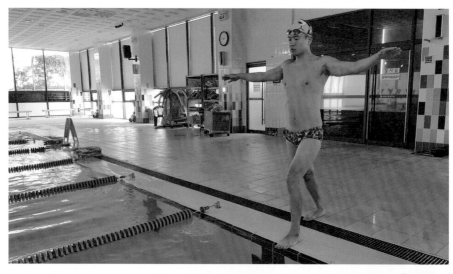

다리 벌려 들어가기

(3) 다리 모아 들어가기

낙하 위치가 수면에서부터 1M 이상, 수심이 1.5M 이상일 경우 다리 모아 들어가기를 사용하는데, 수심을 모르는 경우에는 부상의 위험이 있으므로 사용해서는 안 된다. 입수 시에는 몸을 수직으로 하여 다리와 팔을 몸에 붙이고 무릎을 곧바로 세운다. 머리가 수면에 잠길 즈음 팔과 다리를 신속하게 펴주어 몸이 가라앉는 것을 막아주며 다시 팔과 다리를 신속하게 모아 수면으로 상승한다.

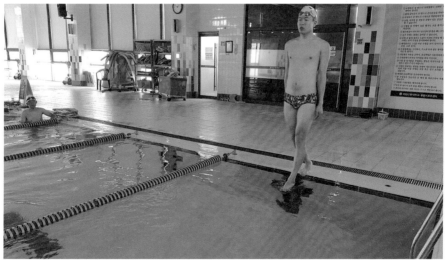

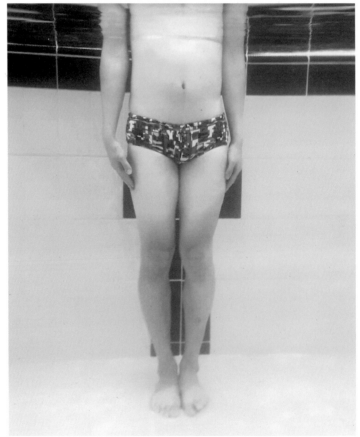

다리모아 들어가기

(4) 다리 굽혀 들어가기

낙하 위치가 수면에서부터 1M 이상, 수심이 1.5 이상일 경우 무릎을 구부린 상태로 발바닥부터 입수하는 방법이다. 입수 시 충격을 줄이기 위해 양발을 교차시키고 밀착하여 입수하는 방법도 효과적이다.

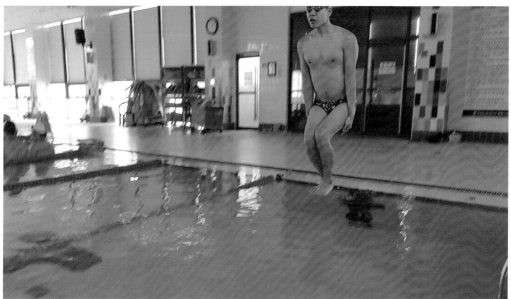

다리굽혀 들어가기

(5) 구명조끼 착용 후 입수법

대형 선박에서 위급상황 시 구명조끼 착용 후 입수법은 다리 모아 들어가기와 유사하다. 갑판에서 수면까지는 보통 3M에서 5M이기 때문에, 사전에 교육을 받지 않았다면 공포심 때문에 쉽게 뛰어내리기 어려운 높이이다. 하지만 입수 요령을 잘 익히면 누구나 쉽게 할 수 있다.

입수법은 다음과 같이 세 가지 방법이 있다.

가. 양손으로 구명조끼의 목 부분을 잡고 입수

입수 후 구명조끼가 몸에서 빠져나가 버리는 것을 방지하기 위해 양손으로 구명조끼의 목 부분을 단단히 잡고 입수한다. 이때 팔꿈치와 겨드랑이는 최대한 몸쪽으로 밀착시켜 충격에 대비할 수 있도록 한다.

나. 한 손으로는 코와 입을 막고, 한 손으로는 낭심을 보호하며 입수

입수 후 입과 코로 물이 들어오는 것을 막고 입수 충격으로 낭심의 부상을 방지할 수 있는 방법이다. 구명조끼의 이탈을 방지하기 위해 양팔은 최대한 몸에 밀착시킨다.

다. 한 손으로 코와 입을 막고, 한 손으로는 구명조끼의 목 부분을 잡고 입수

입수 후 입과 코로 물이 들어오는 것을 막고, 입수 충격으로 구명조끼의 이탈을 방지할 수 있는 방법이다. 먼저 한 손으로 입과 코를 막고 나머지 한 손으로 팔을 겹쳐서 구명조끼의 반대쪽 목 부분을 잡는다. 양팔은 몸에 최대한 밀착시키고 겨드랑이에 공간이 생기지 않도록 주의한다.

이상 생존수영교육에 기초적으로 필요한 내용을 소개하면서 초심, 초급, 중급, 상급 등 수영 능력과 관계없이 반드시 숙지해야 하는 생존수영 정보를 수록하였다. 실제 생존수영 과정은 이 책에서 소개한 것보다 더욱 다양하고, 수준별로 이루어져 있다. 이를 알면서도 우리나라 현 시점에서 생존수영교육에 관한 책이 시급하다는 생각에 교육생들에게 기본적으로 필요한 정보를 담는 데 주력하였다.

이 책에서 부족했던 부분은 타인을 도울 수 있는 인명구조 관련 내용과 높은 수준의 생존수영기술이다. 향후 이 책의 후편에서 더욱 다양한 내용을 소개할 수 있도록 노력할 것을 약속한다.

대한민국의 생존수영교육 발전을 위해 노력하시고, 이 책이 출판되어 생존수영 정보를 제공할 수 있도록 도움 주신 (주)생존수영교육연구소 배종희 대표님과 이도관 책임연구원께 감사드린다.

미약하지만 이 책이 생존수영교육에 도움을 줄 수 있기를 희망한다.

2017년 9월

박정호

1. 추미경, 김인형(2016). 수영의무교육에 관한 초등학교 교사들의 인식 및 운영개선방안. 한국체육정책학회. 14(3), 161–176.

2. 김지현, 이근모(2016). 초등수영실기교육 벤치마킹을 위한 사례분석: 서울과 오산을 중심으로. 한국체육정책학회지, 14(4), 1–18.

3. 김시균, 문재용(2015). 유럽선 옷.신발 착용 '생존수영' 한국선 물장구치는 수준. 2015. 4. 14, 매일경제(mk.co.kr). 서울.

4. 이선정(2015). 수업 고작 10시간, 사고날까 학교도 꺼려 물장구만 친 수영교육. 2015. 5. 6, 국제신문. 부산.

5. 박상봉, 이석훈(2017). 초등교사의 수영교육 실행경험 및 수영교육 발전방안. 서울교육대학교. 28(1), 237–251.

6. 강신관(2017). 생존수영. 도서출판 좋은땅 : 경기도.

7. 임혁주(2016). 생존수영(물에 몸을 맡겨봐!). (주)부크크 : 경기도.

8. 교육부(2015). 선진국의 수영교육 사례연구를 통한 국내 수영교육 실천방안에 관한 연구.

9. 대한적십자사(2014). 안전수영. 인명구조원 교육교재.

10. 대한적십자사(2014). 수상인명구조. 인명구조원 교육교재.

소중한 생명지킴이
생존수영

펴낸날 2017년 11월 2일

지은이 박정호 | **감수** 이도관
펴낸이 주계수 | **편집책임** 윤정현 | **꾸민이** 윤정현

펴낸곳 밥북 | **출판등록** 제 2014-000085 호
주소 서울시 마포구 월드컵북로 1길 30 동보빌딩 301호
전화 02-6925-0370 | **팩스** 02-6925-0380
홈페이지 www.bobbook.co.kr | **이메일** bobbook@hanmail.net

© 박정호, 2017.
ISBN 979-11-5858-341-5 (13690)

※ 이 도서의 국립중앙도서관 출판시도서목록(CIP)은 e-CIP 홈페이지(http://www.nl.go.kr/
cip)에서 이용하실 수 있습니다. (CIP2017027577)

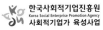
한국사회적기업진흥원
Korea Social Enterprise Promotion Agency
사회적기업가 육성사업
본 결과물은 사회적기업가 육성사업의 일환으로 제작되었습니다.